Sveriges Kulturarv

Att förvalta det förflutna

SVENSKA INSTITUTET

Utgiven av Svenska institutet i samarbete med Riksarkivet, Kungl. biblioteket,

Riksantikvarieämbetet och Svenska Museiföreningen

OMSLAG OCH TYPOGRAFERING Linn Fleisher

REDAKTÖR Ulla von Schultz

TRYCK BerlingsSkogs, Trelleborg 1999

ISBN 91-520-0527-5

Innehåll

Per Sörbom
Förord 5

Kari Tarkiainen
Det svenska kulturarvet i arkiven 7

Ulla Ehrensvärd m.fl.
Kungl. biblioteket 41

Erik Wegræus m.fl.
Från fornminne till kulturmiljö 76

Katarina Årre
Svenska museer 124

Förord

ALLA NATIONER VÅRDAR och värnar sitt kollektiva minne, sitt kulturarv. Men den styrande ideologin bakom bevarande-strävandena och de metoder som brukas skiftar från land till land, liksom också traditionens historiska djup.

"Stormaktstiden, särskilt dess senare hälft," skriver professor Sten Lindroth i sin svenska lärdomshistoria, "var en blomstringstid för den historiska forskningen. Det hade sina uppenbara skäl. Antikviteterna, rannsakningen av våra hävder, gick ut på att förhärliga fäderneslandet, den självmedvetna och dådkraftiga svenska nationen sökte sig tillbaka till sitt förflutna för att där hämta eggelse och inspiration. Ingen vetenskap uppmuntrades i samma utsträckning av statsmakten och högadliga gynnare, praktfulla monumentsamlingar och kungakrönikor utgavs för offentliga medel. Denna entusiasm för de egna historiska minnena låg i den moderna nationalstatens natur och var inte för Sverige säregen, men med den götiska ideologin fick den i vårt land sin särskilda färg och nådde en styrka som kanske ingenstädes annars."

Det var i denna självmedvetna anda, under den period mellan 1500-talets slut och 1700-talets början, då Sverige var en betydande politisk maktfaktor i norra Europa, som de institutioner som behandlas i den här skriften tillkom eller har sitt ursprung. Arkiv, bibliotek, fornlämningar och museer är instrument med vilkas hjälp ett land upprättar och upprätthåller sin identitet. Syftet med bevarandeverksamheten är idag inte längre detsamma som det var för bara ett sekel sedan, metoderna är inte heller desamma, inte minst har den moderna informationstekniken blivit ett ovärderligt hjälpmedel, även om den i sig självt blivit ett problem ur bevarandesynpunkt.

Av historiska skäl kom Sverige, vid sidan av den politiska rivalen Danmark, att tidigare än andra länder i Europa utforma en bevarandepolitik. Genom lyckliga omständigheter, inte minst det snart tvåhundraåriga fredstillståndet, har Sverige kunnat bevara sitt kulturarv på ett ur internationell synpunkt närmast unikt sätt. Säkert har också den svenska traditionen, med Carl von Linné som sin främste företrädare, att samla, ordna och organisera spelat en viktig roll. Den svenska befolkningsstatistiken, till exempel, har inget motstycke någonstans i världen.

I den här skriften har vi valt att låta de viktigaste institutionerna med ansvar att bevara det svenska kulturarvet själva beskriva sin historia, sin verksamhet idag och sitt uppdrag för framtiden. Det innebär att infallsvinklarna skiftar, men att de olika artiklarna lästa tillsammans ger en god och sammanfattande bild av hur Sverige hanterat, och hanterar sitt kulturarv.

Per Sörbom
Sveriges kulturråd i London

Det svenska kulturarvet i arkiven

När kristendomen infördes i Sverige på 1000- och 1100-talen, fanns det i landet en skriven kultur i form av runskrift, tecken ristade i stenar som man reste till minne av märkvärdiga människor och minnesvärda bedrifter. Utöver dessa skrivna minnesmärken förvaltade människorna ett stort muntligt traditionsbestånd, sägner och kväden, men också av visdomsord och landskapslagar, som gick i arv genom tradering från generation till generation. Till den vikingatida svenska kulturen lades genom införande av det västerländska alfabetet ett europeiskt, huvudsakligen kyrkligt inslag, som i sina kulturyttringar använde ett främmande språk, latin. Genom denna medeltida "europeisering" blev Sverige, landet i utkanten av Europa, för första gången en del av en större, internationell kultursfär. Men även det inhemska levde kvar och fornsvenskan kom till användning framförallt genom att man började nedteckna de dittills oskrivna landskapslagarna.

Den kulturella förändringen var till en början måttfull, då alfabetiseringen inte berörde folkets stora flertal utan endast en liten samhällsgrupp. Man kan dock här som annorstädes så småningom börja tala om skrivna kulturskatter, från påvebullor till näverbrev, från högadlig korrespondens till liturgisk litteratur vid kyrkor och kloster. Grovt räknat kan dessa dokument uppdelas i två kategorier: *diplom* eller enstaka, ofta sigil-

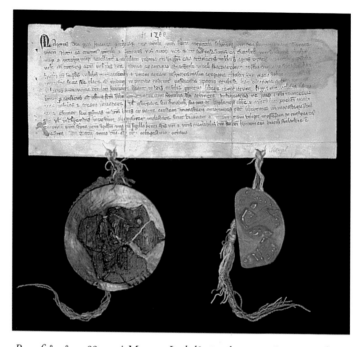

Brev från år 1288, vari Magnus Ladulås överlämnar några öar och en tomt på Södermalm till S:ta Clara kloster. Sigillen tillhör kung Magnus (grönt) respektive hans bror Bengt, biskop i Linköping och hertig av Finland (rött). Foto: Kurt Eriksson, Riksarkivet.

lerade pergaments- eller pappersbrev och *codices*, inbundna böcker med avskrivet innehåll.

Det medeltida skriftliga beståndet i Sverige är i jämförelse med sydligare länder inte stort: det är för hela landet inte mera än vad ett bättre lokalt arkiv på kontinenten eller i England kan visa upp. De omkring 20 000 bevarade originalbreven på pergament och papper samt de många texter som är kända genom avskrifter kan emellertid sägas ge en förhållandevis god

Kung Magnus Erikssons och drottning Blankas testamente 1346.
Foto: Kurt Eriksson, Riksarkivet.

kunskap om den svenska medeltiden. Att man vet mycket litet om vissa sidor av livet beror mindre på att dokument har gått förlorade än på att många förhållanden och företeelser inte alls har blivit dokumenterade. En central insamling av medeltidsmaterialet kom till stånd genom indragningar till det kungliga kansliet av domkyrkornas och klostrens arkiv efter reformationen på 1500-talet. Stora mängder medeltidsdiplom, som hade funnits deponerade i dessa inrättningar, kom nu i kronans ägo. Även äldre svenska regimers handlingar och statsakter följde med: från Linköpings domkyrka kom kung Magnus Erikssons förmyndares arkiv från början av 1300-talet, från Strängnäs domkyrka rådets och kung Karl Knutssons arkiv från 1400-talet, för att nämna några exempel. Den som bäst behärskade det disparata medeltidsmaterialet i det kungliga kansliet var under Gustav Vasas och hans söners tid sekreteraren Rasmus Ludvigsson (död 1594). Han lade upp aktsamlingar för ett krönikeverk i det nya kungadömets anda. Därefter utnyttjades breven av de högadliga samlarna Hogenskild Bielke och Erik Sparre för att under stormaktstiden vårdas av Riksarkivets arkivsekreterare.

Men även annat slags medeltidsmaterial kom in i kronans arkiv under Vasakungarnas tid. Till Gustav Vasas många nya räkenskaper behövdes hållbara pärmar att binda in dem i. De medeltida, konfiskerade kyrkliga böckernas slitstarka pergamentsblad blev omslag kring fogdarnas och kammarens räkenskaper. I Kammararkivet finns fortfarande minst 17 000 sådana omslag, hämtade från över 5 000 olika böcker. Det har sagts, att det svenska Riksarkivet genom existensen av dessa "munkepärmar" inrymmer Nordeuropas största medeltida bibliotek. Efter 60 års rekonstruktionsarbete under vår egen tid börjar konturerna av denna handskrivna bokskatt redan synas: fragment av ett stort antal breviarier, missalen, antifonarier, gradualen, biblar och andra skrifter ger en färggrann och mångskiftande bild av medeltidens fromhetsliv.

Gustav Vasa etablerade på 1520-talet en stark centralmakt i huvudstaden, där kansliet och kammaren — båda belägna i slottet Tre Kronor — började bilda sina dokumentserier. De ambulerande arkivbildningarnas tid var därmed förbi. Typiskt för kansliet var framväxten av *Riksregistraturet*, ett bestånd med avskrifter av kungliga brev, som bands i bruna renässansband med blindtrycksdekor. Samma utseende hade kammarens praktserie, *Räntekammarböckerna*, ett slags redovisning av vad som fanns i kronans kontantkassa. Utöver dessa bestånd utgjorde den inkommande korrespondensen och de för revision insända fogderäkenskaperna huvudparten av det statliga arkivmaterialet i Stockholms slott. Kontrollen över detta material blev under 1500-talet föremål för stridigheter mellan den nyetablerade kungamakten och rådsaristokratin, då makt över arkiven också betydde ett övertag vad beträffar privilegieanspråk och allmän statsrättlig uppfattning. Särskilt under århundradets senare hälft representerades kungamakten i praktiken av ofrälse sekreterare, monarkins redskap i dess försök att skapa en stark förvaltning. Högaristokratin fick nöja sig med att få sin information genom kungen, något som inte kunde tillfredsställa den. Den blodiga uppgörelsen mellan de-facto-regenten hertig Karl och rådsherrarna, som nådde sin kulmen i avrättningarna i Linköping 1600, resulterade i att många konfiskerade frälsemannaarkiv hamnade i kronans förvar.

En kompromiss uppnåddes efter dessa bittra strider i samband med tronskiftet 1611. I en fullmakt till rikskanslern Axel Oxenstierna 1612 föreskrev den unge kungen Gustav II Adolf, att handhavande av rikets arkiv skulle ske genom rikskanslern, som på samma gång var monarkens troman och representant för högfrälset. Att rikskanslern hade det högsta ansvaret i arkivfrågorna kommer även till synes i 1618 års kansliordning, som innehåller den första instruktionen för Riksarkivet. Den är för övrigt den första kända fullmakten för ett riksarkiv i Europa. Nyordningen betydde, att en särskild arkivsekreterare, Peder Månsson Utter, nu tillträdde sitt ämbete, att lokaler inreddes för Riksarkivet på slottet och att handlingar med regelbundna mellanrum började levereras från förvaltningen för vård i arkivet.

Den svenska stormaktstiden omfattade åren 1561–1721, en period som en del svenska historiker brukar kalla för "vårt långa 1600-tal". Typiskt för denna epok var att staten fick

Uppslag ur mantalslängd för Oppunda härad i Södermanland år 1649. Kolumnerna upptar från vänster till höger: bonde, hustru, son, dotter, dräng, piga och inhysesfolk. Prästen i Stora Malm socken har undertecknat. Länsräkenskaper, Södermanlands län 1649. Foto: Kurt Eriksson, Riksarkivet.

anstränga sina krafter till det yttersta för att bära kostnaderna för de oavbrutna krig, som hörde till den expansiva politiken. Gustav Vasas finanspolitik, som byggde på fogdarnas redovisningar av grundskatterna, kompletterades under 1600-talet genom personliga skatter och uttag av krigsfolk, vilket ledde till registrering av stora delar av befolkningen. Den bäst kända

typen av de längder som tillkom i sammanhanget är mantals-
längderna. Men även militära rullor, som upptog manskap till
de olika regementena, såväl knektar som båtsmän, börjar nu
växa fram, och efter 1686 års kyrkolag också folkbokförings-
handlingar (längder över döpta, vigda och begravda) som hade
ambitionen att täcka hela den svenska befolkningen.
Existensen av detta tidiga personrelaterade arkivmaterial är det
svenska arkivväsendets särmärke. Det berättar om den svenska
stormaktens hårda grepp om människorna, som kontrollera-
des från vaggan till graven vad såväl tro som inkomster beträf-
far. Kronan på verket var envåldshärskaren Karl XII:s progres-
siva skattelagstiftning från 1713. Den blev inte bestående.
Riket tog vara på sina resurser på ett sätt, som genom sin
effektivitet väckte beundran i utlandet, men som också ledde
till en öppen kollaps då samhället i längden inte orkade bära
bördan.

Riksarkivets historia präglas under stormaktstiden av lugn
och tillväxt. De bruna blindtrycksbanden av renässanstyp och
de brokiga "munkepärmarna" i återanvänt pergament ersattes
av vita läderband i Elzevierernas anda. Ämbetsverket fick på
1640-talet lokaler i en tillbyggnad till Stockholms slott; där
kunde nu handlingarna för första gången placeras på hyllor i
två stora valv, det övre och det nedre, samt ordnas och för-
tecknas enligt en systematik, som motsvarade tidens värde-
ringar. Den främste skaparen av denna nya goda ordning var
arkivsekreteraren Erik Runell (adlad Palmskiöld), som upprät-
tade en generalförteckning över vad som fanns i förvar i arkiv-
valven från de olika kungarnas tid. Runells förteckningar upp-
visar ett florerande Riksarkiv med storslagna samlingar och
bestånd: statsrättsliga urkunder, traktater med främmande
makter, rådsprotokoll, riksdagshandlingar, kollegiernas pap-

per, brev från det lilla imperiets alla besittningar öster och söder om Östersjön. Erik Dahlbergh (1625–1703), fortifikationschefen och generalguvernören i Livland, fick i uppdrag att skapa en bilderbok om det forna och nutida Sverige, *Suecia antiqua et hodierna*. Den graverades i koppar och förevisade riket som ett blomstrande parklandskap fyllt med magnifika barockslott och fartyg med vind i sina segel. Även Sueciaverket var en sysselsättning för Riksarkivet. År 1695 utfärdades ett plakat, enligt vilket det var strängt förbjudet att förskingra kronans dokument.

Hur hade man dittills använt det stora och välordnade arkivmaterial som på 1500- och 1600-talen fanns på Stockholms slott? Från år 1622 hade en av staten avlönad historiker med tjänstebenämningen rikshistoriograf suttit mitt i härligheten och skrivit digra krönikor som handlade om kungar och krig. Mycket i böckerna kom direkt från källorna — man tryckte långa citat ur dem, ja, ibland hela dokument — men andan hämtade man från annat håll. Det var uppfattningen om svenskarna som ättlingar till de gamla goterna, vilka under folkvandringstiden hade lagt under sig hela Europa, som genomsyrade de digra verken. Historien upprepade sig! Som de ädla gotiska konungarnas efterkomlingar stod svenskarna som segrare på kontinentens slagfält, löd budskapet i rikshistoriografernas verk, vävda av snusförnuftiga kommentarer och storhetsdrömmar. De gällde på den tiden som fullgod vetenskap.

Denna välordnade tillvaro slutade med en katastrof, som på sitt sätt förebådade det gamla stormaktsrikets fall. Fredagen den 7 maj 1697 utbröt en häftig eldsvåda på Stockholms slott. Från vindsvåningarna trängde branden neråt till arkivvåningarna. Det övre arkivvalvet som innehöll äldre material fram till

Freden i Stolbova 1617. Originaltraktat. Foto: Kurt Eriksson,
Riksarkivet.

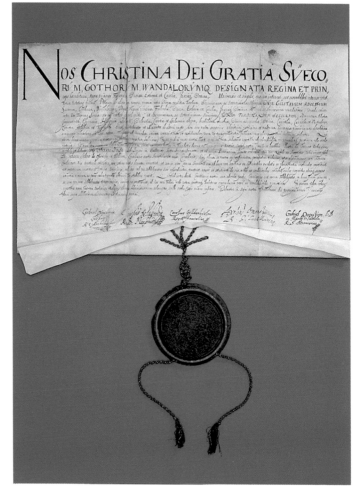

Drottning Christinas förmyndarregerings fullmakt för Sten Bielke och Johan Salvius att förhandla med kejsarens kommissarier om fred. Daterad Stockholm 30 januari 1637. Foto: Kurt Eriksson, Riksarkivet.

Av Karl XII:s läxövningar finns ovanligt mycket bevarat. Här ett blad ur prinsens övningsbok i zoologi. Kungl. arkiv, handskriftssamlingen. Foto: Kurt Eriksson, Riksarkivet.

1654 blev först angripet av lågorna, och därifrån hann man bara rädda en del. Det nedre valvets innehåll av senare material blev i sin helhet evakuerat. Man räknar grovt, att en tredjedel av rikets handlingar, huvudsakligen av de äldre, förintades under en enda eftermiddag. Men detta var bara en sida av medaljen — den andra var att även resten av arkivmaterialet hade hamnat i ett hopplöst, svårbemästrat virrvarr.

Stormaktsväldets sammanbrott kom till synes på ett antal olika sätt och plan. Man förlorade monopolet på Östersjön, det lilla imperiet krympte territoriellt och områden, för vilka man fört krig i 150 år, hamnade i fiendernas händer. Den starka statens grepp på människorna slappnade och dess kontrollerande öga miste sin skärpa. Tillsammans med de förlorade territorierna överlämnades stora arkivbestånd till de segerrika grannarna. Den politiska splittringen ledde till att dessa började blanda sig i svensk politik och påverka besluten genom mutor och subsidier.

En ny tid med en ny anda började prägla samhällslivet. Riksarkivet var inte längre kronans ögonsten och hemligheternas väktare, utan en institution med en rad praktiska uppgifter och problem: spridning av författningstryck och avskrivning av allt mera svällande protokollserier stod på programmet. Sammanträdeskvarnen var i gång! Överallt, från små sockenstämmor på landet till sammankomster på Riddarhuset i Stockholm, höll man möten och dokumenterade sina diskussioner genom anteckningar. Frihetstiden, 1721–72, var de snabbt växande arkivmassornas tid.

Till sammanhanget hör också 1766 års ryktbara tryckfrihetsförordning, i sitt slag unik i världen. Förordningen, som skrivits av en regering som ville komma åt sin föregångare, innehöll tanken att varje medborgare, till främjande av ett fritt meningsutbyte och kontroll av myndigheternas verksamhet, hade rätt att ta del av allmänna handlingar. Genom denna så kallade offentlighetsprincip minskade statens övertag när det gäller informationsinnehavet, och den enskilde gavs en chans att ta reda på beslut som gällde honom. Gammalt, historiskt

Sedan den ryska flottan under det senare skedet av Stora nordiska kriget (1700–21) förhärjat städer och landsbebyggelse längs den svenska Öster-sjökusten, var det ekonomiska läget för befolkningen i dessa områden mycket svårt. Kronan tvangs bevilja skattebefrielser för att möjliggöra en återhämtning. Detta krävde å sin sida att man gjorde upp noggranna redovisningar för de ryska truppernas framfart. Här visas den vackert kalligraferade listan över förbrända hemman i Lövsta socken i norra Uppland. Slutsumman för denna socken allena var 358 785 riksdaler! Foto: Kurt Eriksson, Riksarkivet.

arkivmaterial öppnades för forskningen gradvis först på 1800-talet, då intresset för att skriva det svenska folkets historia även från andra synpunkter än från makthavarens hade vaknat.

Under upplysningstiden bröt också det Linnéska system-tänkandet in i Riksarkivet. Man sorterade papper som natur-vetarna spetsade insekter på nålar, i en god teoretisk ordning. Stormannen i denna tids Riksarkiv var arkivsekreteraren Elias Palmskiöld, son till Erik Runell. Den ämnesordnade samling i Riksarkivet som bär hans namn är dock en liten rest, som inte kan tävla i omfång och betydelse med den stora Palmskiöldska samlingen i Uppsala universitetsbibliotek. Ämnesordnandet fick som princip sina glansdagar en bit in på 1800-talet.

I stället för den uppbrunna medeltidsborgen Tre Kronor reste det nya Sverige sitt kungaslott, ritat av Nicodemus Tessin d.y. i en återhållsam barockstil. Riksarkivet fick flytta från sina provisoriska lokaler till stora valv under nordvästra slottsfly-geln, som togs i bruk 1766–68 trots att de fortfarande var ganska fuktiga. Denna återflyttning till maktens boningar sammanföll alltså i tid med tryckfrihetsförordningen. Lokalen beskrevs av samtida som "större och högre än mången kyrka", men den fylldes snart till bristningsgränsen av arkivmassorna. Under 1700-talet blev det också populärt att samla handskrif-ter, och många mer eller mindre nogräknade samlare lade upp stora bestånd av rariteter. Dessa "autografmagnaters" kollek-tioner tilldrog sig ett intresse, som ofta var större än intresset för de offentliga arkivens handlingar. Historieskrivningen län-kades under frihetstiden in på nya banor genom Sven Lagerbrings, Anders Botins och Olof Dalins verk. De tog avstånd från den föregående tidens storhetsfantasier och göti-cism och försökte se utvecklingen med mera kritiska ögon; att krafterna inte alltid räckte till var inte deras fel.

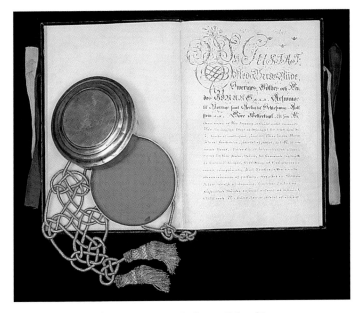

1772 års regeringsform. Foto: Kurt Eriksson, Riksarkivet.

Samhällets frihetstida grundprägel blev oberörd även under den gustavianska tiden, 1772–1809, under ett system som kan karakteriseras som tolerant envälde. Brytningen inträffade i samband med att en ny monarki, den Bernadotteska, etablerade sig på kungatronen, sedan riket hade förlorat sin östra halva, Finland. Rikssprängningen 1809 betydde inte bara att Sverige förlorade en tredjedel av sitt territorium och en fjärdedel av sin befolkning, även arkiven fick vidkännas stora förluster. Sålunda överskeppades år 1810 med stöd av Fredrikshamnstraktaten 83 lådor arkivhandlingar från Stockholm till Åbo. Materialet utgjorde sedermera kärnan till Finlands arkivväsen.

Under tidigt 1800-tal kom romantiken till Sverige. Det gamla fick ett större värde än tidigare. Samma dokument som under stormaktstiden hade betraktats som rikshemligheter och under upplysningstiden som gammalt bråte, steg nu i värde och fick ett nästan mystiskt skimmer över sig. Dokumenten var ju kvarlevor från nationens fornstora dagar, då hjältarna fortfarande fanns att skåda i gamla Sverige! Historieberättarna gav sig i kast med att gestalta Sveriges historia med hjälp av arkivhandlingarna.

Uppvaknandets två stora namn är framförallt Erik Gustaf Geijer och Anders Fryxell. Båda försökte sig på helhetsverk i Sveriges historia. Endast Fryxell lyckades helt med sitt uppsåt och skrev under loppet av sextio år sina *Berättelser ur svenska historien.* Han hade börjat arbeta 1828–29 i Riksarkivet och använde där förut okänt källmaterial. Fryxells huvudsakliga dokumentstöd var samlingen *Acta historica,* som man hade börjat konstruera just under denna tid. Man röjde upp bland handlingar som fortfarande var i ett kaotiskt tillstånd efter slottsbranden 1697 och grupperade dem efter de olika historiska perioderna. Dessa dokument handlade ofta om spektakulära företeelser som inrikeskriser och uppror. Grundprincipen blev sedermera att vad som inte passade i *Acta historica* placerades i andra ämnessamlingar, som kunde heta *Militaria, Acta ecclesiastica* eller *Genealogica.* På detta sätt kunde Riksarkivet bjuda på färdigsorterade källor efter olika intressanta teman, material som mycket väl lämpade sig för berättande historieforskning. Det har också visat sig att 1800-talets ämnessamlingar styrde historikerna in på vissa ämnen, som odlades flitigt medan huvudmassan av arkivalierna knappast begagnades. Efter Geijer och Fryxell började också utländska forskare finna sin väg till Riksarkivet; bland de första var finländaren Vilhelm Gabriel Lagus och ryssen Sergei Solovjev. Forskarbesökens antal var länge anspråkslöst men steg under 1800-talets senare hälft så småningom till 50–100 forskarbesök per år.

Den nya tiden medförde ett oanat uppsving för Riksarkivet. Ämbetsverket fick år 1837 en ny, energisk chef, förre landshövdingen Hans Järta, som genast skrev en reformplan och satte i gång med ett stort uppröjningsarbete. De väsentliga insatserna gjordes inom Riksarkivets nygrundade historiska avdelning. Utöver ämnesordnande stod också urkundsutgivande högt på programmet. Man kan från denna tid tala om Riksarkivet som en historisk forskningsanstalt. Denna inriktning på verksamheten fortsatte också under nästa riksarkivarie, Johan Jacob Nordström, som hade kommit till Sverige 1846 närmast som politisk flykting från Finland, som då lydde under Ryssland.

Vid 1800-talets mitt öppnade sig ett alldeles nytt arbetsfält för Riksarkivet: övervakning av myndigheternas arkivförhållanden. År 1874 fastslogs, att alla myndigheter — inte bara regeringskansliet som dittills — skulle få leverera sitt material till Riksarkivet. Följden blev, att sådana frågor som utgallring och förtecknande av handlingar ute hos ämbetsverken också aktualiserades. Arkivarierna blev därför tvungna att på ort och ställe bekanta sig med förhållandena och resa till de orter där arkiv förvarades. Från och med 1878 frigjordes Riksarkivet från banden med regeringskansliet och blev ett självständigt ämbetsverk under ecklesiastikdepartementet.

1891 är ett stort år i Riksarkivets historia. Då togs nämligen ett nytt arkivhus i bruk på Riddarholmen i Stockholm, den första för arkivförvaring uppförda byggnaden i Sverige.

Arkitekten hette Axel Fredrik Nyström (1832–94), en av de glömda arkitekterna från 1800-talet. Han hade meriterat sig genom att rita en saluhall med en kombination av tegelmurar och inre järnstomme som i hög grad påminner om den inre strukturen i det färdiga arkivhuset. Byggnaden blev magnifikt uppförd i en rundbågestil som påminner om venetianska och florentinska renässanspalats. Dess paradtrappa i bruna, gröna och gula färgnyanser räknas alltjämt som den märkligaste som skapades inom svensk arkitektur under denna tid, medan de tekniska nymodigheter (t.ex. den elektriska personhissen och uppvärmningssystemet) som huset utrustades med snabbt blev föråldrade.

I detta hus — med rymliga magasinsvåningar, forskarexpedition, två forskarsalar, varav den ena med trettiofem platser, och hela fem tjänsterum — arbetade under 1800-talets slutskede en mycket forskningsmedveten arkivariekår. Det ledande namnet under epoken var Emil Hildebrand, riksarkivarie från 1901. Han inledde de stora reformernas tid i arkivverksamhetens historia. Hildebrand lanserade i en uppsats år 1902, efter förebilder från de stora kulturländerna, tanken på den så kallade proveniensprincipen. Enligt denna princip fick arkiven inte sönderplockas för skapande av lättillgängliga ämnessamlingar, utan måste hållas intakta, då dokumentens historiska bevisvärde var beroende av att de fanns kvar på sina ursprungliga platser. Ett borttaget dokument lämnade alltid ett tomrum efter sig och var omöjligt att lokalisera i den massa av innehållsligt strukturerade nya arkiv som man hade skapat på 1800-talet. Till följd av Hildebrands tankegångar började man demontera stora ämnessamlingar och återställa handlingar på deras ursprungliga platser. Proveniensprincipen står sig alltjämt som en grundsten för arkivvården, även om det

*Gamla Riksarkivet på Riddarholmen har en magnifik trappa, som
ingav besökaren vederbörlig respekt för myndigheten. Byggnaden ritades
av arkitekten Axel Fredrik Nyström. Foto: Kurt Eriksson, Riksarkivet.*

numera allt oftare är fråga om förvaring och tillhandahållande
av elektroniskt lagrade dokument.

Emil Hildebrands proveniensprincip stod i bästa samklang
med tendenserna i dåvarande historieforskning. I Sverige hade
framför allt Hans Forssell redan på 1860-talet börjat utnyttja
de tidigare endast sporadiskt använda landskapshandlingarna
till banbrytande, brett upplagda arbeten. Resultaten i dessa
forskningar stödde sig på ett stort antal fynd i fogderäkenska-

perna. Hildebrand bekände sig till denna "yngre" historiska skola genom sina forskningar på 1890-talet. På det sättet kom det kamerala materialet med sin stora informationsmassa om vardagliga ting att placeras vid sidan av de handlingar i politisk historia som man dittills hade utnyttjat. Samma minutiösa, källkritiska anda genomsyrade senare på 1920-talet de forskningar som medeltidsforskarna landsarkivarien i Lund Lauritz Weibull (1873–1960) och hans bror professor Curt Weibull (1886–1991) bedrev. De fullbordade den svenska, källnära forskningstraditionen genom skarpsinniga analyser om vad dokumenten egentligen hade att avslöja.

Sverige skilde sig från övriga jämförbara länder i Europa genom att dess Riksarkiv och viktigaste forskningscentra inte låg i anslutning till varandra. Riksarkivet fanns i huvudstaden Stockholm och axlade sedan gammalt rollen av regeringens arkiv, tills Kammararkivets införlivande med Riksarkivet år 1922 breddade dess profil. De intellektuella akademiska centralorterna i landet var Uppsala och Lund.

Betydde den geografiska distansen mellan universitetsforskningen och arkivväsendet att akademikerna i Sverige forskade mindre i källorna än i andra länder? Frågan är inte undersökt, men det verkar inte så. "Man hinner tänka ordentligt genom sin forskningsproblematik", brukade lundensiska historiker säga på tal om sina långa tågresor till Stockholm. Det är känt, att avståndet till universitetsstäderna påverkade den intellektuella kulturmiljön vid Riksarkivet. När professorerna och andra akademiska lärare inte fanns på plats där de unga forskarna bedrev sina studier, fick Riksarkivets arkivarier enligt bästa förmåga ta på sig uppgiften att bli deras handledare. De lyckades inte alltid helt bra, men tanken låg i luften — för att citera en artikel av Hans Forssell 1874 — att

*Förtryckt löpsedel till Dagens Nyheter, här använd för extrablad
14 augusti 1899. Dagens Nyheters arkiv, Sveriges pressarkiv.
Foto: Kurt Eriksson, Riksarkivet.*

Riksarkivet borde göras till "en högskola för historisk forskning, dit lärarna vid universiteten kunna sända sina lärjungar med fullt förtroende till den ledning och utveckling, de där kunna erhålla".

Under loppet av 1900-talet började man alltmer tala om historielösheten i Sverige. Många hävdade, att ointresset gentemot historieforskningens landvinningar berodde på det källnära forskningssättet, weibullianismen, som undanträngde all berättarglädje i historieskrivningen. Andra menade, att forskningen hade fått en alltför teoretiserande karaktär. Även arkivväsendet fick — helt felaktigt — sin goda del av kritiken. Troligen är det dock så, att ointresset gentemot historien på något sätt hörde ihop med folkhemmet Sverige. Den dramatiska historien, tiden för krig och strider, låg redan så långt borta, att ingen riktigt mindes den. Den sedan länge rådande fredliga utvecklingen kändes föga spännande i historiskt perspektiv. Historiens vingslag hördes inte, hur ivrigt man än försökte lyssna efter dem. Sverige utgjorde i detta avseende ett undantag bland sina europeiska grannar.

BREDDNING AV ARKIVVÄSENDETS BAS

Vid sekelskiftet 1900 skapades i Sverige en regional arkivorganisation under ledning av Riksarkivet. Orsaken var främst att man hade upptäckt värdet av kyrkoböckerna, som alltjämt förvarades i prästgårdar runtom i Sverige, ofta i brandfarliga trähus. Under åren 1899–1903 tillkom de tre första landsarkiven i Vadstena, Uppsala och Lund och en arkivdepå (senare landsarkiv) i Visby. År 1911 skapades det fjärde landsarkivet i Göteborg. Det norrländska arkivväsendet fick vänta till åren 1930 och 1935, då landsarkiven i Östersund och Härnösand grundades. I motsats till det centrala arkivväsendet placerades många av de nya lokala arkivinstitutionerna medvetet på universitetsorter. I de övriga fallen var det önskemål om lokalisering från hembygdsrörelsen, som man tillmötesgick. Landsarkiven blev stora; deras distrikt omfattade flera län, bortsett från Visby och Östersund som mera hade karaktären av länsarkiv, tillkomna i kulturmiljöer som skilde sig från riket i övrigt. Till organisationen hörde också stadsarkiven i Stockholm och Malmö.

Inriktningen på det lokala var ett nytt drag i det svenska arkivväsendets månghundraåriga historia. Det är att förvåna, att reformen hade dröjt så länge som till början av detta sekel. De samtida förklaringarna till varför man inte grundat landsarkiv redan på 1800-talet var penningbrist, men även ideologiska aspekter spelade in: synsättet var centralistiskt under äldre tid. Först när centralbyråkratin successivt gav lösare tyglar åt den lokala förvaltningen, kunde landsarkivreformen sättas i verket.

De lokala intressena kunde släppas fria därför att arkivvården nu hade fått enhetliga regler, som kunde tillämpas på många platser samtidigt. Riksarkivet hade från sekelskiftet 1900 och framåt tagit på sig nya uppgifter. Särskilt betydelsefulla blev bestämmelserna i kungörelsen för ordnande och förtecknande av offentliga arkiv från 1903. Man skapade arkivscheman för centrala myndigheter, domkapitel och länsstyrelser, man började granska myndigheternas arbete med förtecknande och man inspekterade deras arkivbestånd. Riksarkivet blev genom en instruktionsändring 1906 "den centrala myndigheten för det offentliga arkivväsendet i Sverige". De nya landsarkiven hade uppgiften att på regionalt och lokalt plan verkställa de nya bestämmelserna. De blev med tiden mycket framgångsrika i detta arbete. Också arkivinstitutionen för den militära statliga sektorn, Krigsarkivet (ursprungligen inrättat 1805, självständig institution 1942) utvecklades i takt med arkivväsendet i övrigt.

Landsarkivens andra uppgift var att främja forskningen. I Riksarkivet fanns det visserligen och finns fortfarande material som kan verka lockande på släktforskarna, men huvudstoffet för genealogisk forskning i Sverige består av kyrkoböckerna, vilkas serier för döpta, vigda, begravda och husförhör utgör ett internationellt sett unikt, synnerligen heltäckande material från 1700-talet till våra dagar. De förvaras i landsarkiven. Metoden för släktforskning bygger på att man använder de olika församlingsböckerna parallellt, följer de olika, allt talrikare släktlinjerna bakåt i tiden och kombinerar ihop ett släktträd, som bygger på tusentals belägg i hundratals gamla, inbundna volymer som prästerna en gång i tiden fyllt med sina sirliga handstilar. Under 1900-talet har tiotusentals människor i Sverige upptäckt tjusningen i genealogisk forskning, så att man ibland har börjat tala om släktforskningen som "en liten folkrörelse". En del av släktforskarna är organiserade — Genealogiska Föreningen grundades 1933 och därefter har ett stort antal lokala föreningar kommit till — men huvudparten bedriver sin hobby helt på eget initiativ, inhämtar nödvändiga kunskaper genom bildningsförbundens kursverksamhet och lär sig läsa gammal skrift i olika studiecirklar. Det ökade antalet forskare medförde ett ökat slitage på arkivmaterialet. Det kan nämnas, att vid samtliga landsarkiv tog man 1976 fram 363 000 volymer för forskare, vilket hade betytt en fördubbling av beställningarna på bara några få år.

Det prekära problemet, förslitningen, diskuterades på landsarkivariemötet 1977. Resultaten efter räddningsaktionen

Sveriges äldsta kyrkobok från 1608. Foto: Kurt Eriksson, Riksarkivet.

i början av seklet, när man tog vara på kyrkoböckerna, syntes nu sväva i fara. Efter att ha övervägt olika utvägar valde landsarkivarierna mikrofilmen som ersättningsmedium och alldeles särskilt 16 mm:s film monterad i så kallade jackets, små mikrokort som kan studeras i lätthanterliga läsapparater. Det "utrotningshotade" kyrkoboksmaterialet räddades ännu en gång åt kommande generationer forskare, genom en kopieringsverksamhet i industriell skala vars huvudort blev det lilla samhället Ramsele i Ångermanland, beläget mitt i blånande skogar vid en typisk norrländsk älv. Verksamheten där inleddes 1978 och omdöptes 1982 till Svensk Arkivinformation (SVAR). Cirka 60 000 mikrofilmrullar konverterades till praktiska mikrokort, nya kyrkoböcker och annat genealogiskt material mikrofilmades, och ett stort mikrofilmarkiv omfattande omkring 140 000 volymer uppstod. Av detta säljs årligen kopior motsvarande ca 250 000 mikrokort till hugade forskare, som kan studera informationen hemma, på bibliotek eller vid särskilda släktforskningscentra, som numera finns på flera håll i Sverige. Bland dem är det nyaste det vackra Arkivhuset i Ramsele, som talar till allmänheten inte bara genom sin forskarsal, utan även genom utställningar och multimedia av flera slag.

Satsningen på att framställa mikrokort och att endast tillhandahålla dessa istället för originalen har resulterat i att framtagningen de senaste åren sjunkit till mellan 150 000 och 200 000 volymer per år. Antalet lånade mikrokort i forskarsalarna är okänt, eftersom självbetjäning tillämpas i de flesta arkiven.

DET MODERNA INFORMATIONSSAMHÄLLET TAR FORM

Vid 1900-talets mitt uppfanns de första datorerna, som till att börja med var åbäkiga tingestar som man kallade för "matematikmaskiner". En djupgående omställning i informationstekniken var därmed inledd inom förvaltningen. Särskilt 1960-talet blev genomgripande för kontorstekniken, först på reprografiområdet, då nya kopieringsapparater tillät ett nästan obegränsat antal kopieringar och pappersberget växte inom administrationen, sedan på ADB-området, då informationen skiftade medium och till stor del blev digitalt lagrad.

Vad betydde framväxten av det nya informationssamhället för de svenska arkiven? Det svenska särmärket blev att försöka hålla samman arkivverksamheten och inte göra någon åtskillnad mellan "records" (nya handlingar) och "archives" (gamla handlingar), såsom man gjorde på många håll i utlandet. Lyckligtvis var man också relativt väl förberedd inför omvälvningen. En revision av arkivförfattningarna hade ägt rum 1961, och Riksarkivet fick i sin omorganisation 1966 personella förstärkningar, som till största delen gick till myndighetsservicen. Man kämpade inom denna verksamhet med två huvudproblem: dels med arkivens lavinartade tillväxt, dels med frågorna kring informationsöverföringen till ADB.

Den sammanlagda bruttotillväxten av arkiv på pappersunderlag inom den civila statliga samhällssektorn uppskattades till ca 100 000 hyllmeter per år, av vilket 60–70 procent, ibland upp till 90 procent, efter noggrann och arbetskrävande prövning kunde utgallras.

På det elektromagnetiska informationsområdet var besvärligheterna ännu större. En år 1967 tillsatt statlig utredning, Dataarkivkommittén, skapade i sitt betänkande 1976 det regelverk som man kom att följa. Som förvaringsmedium valde man magnetbandet, som skulle sparas i två exemplar. För ljud- och bildupptagningar grundade man en särskild arkivinstitution, Arkivet för ljud och bild (ALB), som fick uppgiften att ta hand om exemplar av radio- och televisionsprogram, filmer, fonogram och videogram enligt en särskild pliktexemplarlag.

De tekniska förändringarna i och med informationens omvandling till datamedier var i sig stora, men de nödvändiga arrangemangen var inte oöverkomliga för arkivväsendet. Svårare var det för arkivarierna att vänja sig vid att arkivkaraktären hos de nya medierna var helt annan än hos de traditionella. Man hade vant sig vid källornas originalprägel och oföränderlighet — men de nya databärarna var formbara; informationen kunde lätt stöpas om, raderas eller selekteras. Möjligheterna att ändra fanns inbyggda i själva tekniken, och ändringarna lämnade inte några spår efter sig. Och man var tvungen att konvertera materialet med jämna mellanrum för att hänga med i systemutvecklingen. Den upprepade mediaförnyelsen, inte stabiliteten, var en företeelse som hörde till dataarkiveringen.

Att nya medier tillkom i arkiven vid sidan av klassiska pappershandlingar betydde därför att arkivvården blev starkt differentierad. Av en del av arkivariekåren krävdes specialkunskaper, i vissa fall på hög nivå. Dessa kunskaper behövde ständigt förnyas, eftersom den moderna tekniken fortfarande befann sig i rask utveckling. Data kunde behandlas och distribueras i väldiga mängder, men den bestående datalagringen, långsiktigheten och säkerheten hade i den allmänna utvecklingen skjutits i bakgrunden. Dessa frågor släpade helt enkelt efter.

Datoriseringen påverkade emellertid inte bara arkivens tillsynsverksamhet och deras depåfunktion. Även i fråga om den inre sökningen började man på 1980-talet satsa på ADB-baserade register i forskarservicen — egentligen förbluffande sent. Vinsten i databaserade sökregister låg i mediets stora flexibilitet och möjligheter till kontinuerliga korrigeringar och tillägg. Överbyggnaden till alla de mera lokala sökregistren heter NAD (Nationell Arkivdatabas), som i sin tur är tänkt att ingå i det internationella nätverket Internet. År 1995 hade man hunnit så långt, att databasen NAD fanns tillgänglig som en kommersiellt spridd CD-ROM, vilket innebar att köparna av denna information hade tillgång till upplysningar om fler än 130 000 olika arkiv. NAD-skivan uppdaterades 1996 och 1998.

INFÖR FRAMTIDEN

Riksarkivet fick 1968, i samband med sitt 350-årsjubileum, en modern förvaltningsbyggnad i Marieberg i de västra utkanterna av det centrala Stockholm, vilken ersatte den gamla tegelborgen på Riddarholmen. Komplexet i tegel och koppar hade ritats av arkitekterna Åke Ahlström och Kjell Åström och ingången till huset pryds av Elli Hembergs järnskulptur "Riksäpplet". Den symboliserar på ett modernt bildspråk det samband mellan makt och arkiv, som utgör den röda tråden i arkivväsendets historia i Sverige.

Dessa lokaler för administration, forskning och arkivteknik ovan jord i Marieberg är sakens ena sida. Den andra sidan utgörs av det stora hålrummet i urberget, som inrymmer ett arkivmagasin av ovanliga mått. Detta specialklimatiserade betongmagasin (med en temperatur på 18–19 plusgrader och en relativ luftfuktighet på 50–55 procent) i sex våningar är delvis beläget under Mälarens vattenyta och har plats för ca 80 000 hyllmeter arkivalier i halvautomatiska tätpacknings-hyllor. Förhållandena i Mariebergs undre värld är ideala för förvaring av pergament och papper. Där finns också en arkivficka med kyligare och torrare klimat för förvaring av mikrofilm och datamedier. Tyvärr är Marieberg fullbelagt och kan inte ta emot ytterligare leveranser. Därför byggde man 1994–95 en stordepå i Arninge i Täby kommun norr om Stockholm, med möjligheter till fortsatt expansion på platsen. Den andra etappen av detta bygge kommer att öppnas under hösten 1998. I den nya byggnaden ingår en forskarsal för läsning av Riksarkivets förvarade handlingar. Hela det svenska kyrkoboksbeståndet kommer dessutom att tillhandahållas på mikrokort.

De yttre ramarna för Riksarkivets verksamhet är därmed givna för långa tider framöver. Vad kommer det inre livet att handla om? Blickarna kan riktas mot framtiden med en viss tillförsikt. Samhällets intresse för informationsfrågor av olika slag är i dag större än någonsin tidigare. Detta gäller givetvis mest möjligheterna att hantera stora, aktuella informations-system i datorerna. Tillgång på goda källor är inte bara viktig

Riksarkivet förvarar sedan 1970-talet information från ADB-system på magnetband. För att informationen skall bevaras måste banden förvaras i ett särskilt klimat och vårdas noggrant, bland annat kopieras om på nya band. Foto: Kurt Eriksson, Riksarkivet.

för forskningen. Den är avgörande för möjligheten att få en rättvis bild av samhällsutvecklingen och enskilda personers liv. "Det är inte bara en fråga om vetenskap utan även om grundläggande rättvisa", skriver riksarkivarien Erik Norberg när han kommer in på arkivens framtid i Sverige.

De svenska arkiven kan uppvisa en ovanlig kontinuitet i det historiska källmaterialet. Från 1500-talet och framåt flyter en bred dokumentation från den centrala statsapparatens verksamhet. Särskilt djup är dokumentationen i de tidiga skattelängderna (landskapshandlingarna), vilka saknar motstycke i utlandet (utom i Finland, som till 1809 var en del av det gamla svenska riket). Från 1600-talet vidgas detta material så att vi kan följa de enskilda personerna i skattelängderna, kyrkobokföring och krigsutskrivning. Från 1700-talet kommer statistikens grundmaterial in i bilden.

Att dokumentera individer är sålunda en tradition som den svenska samhällsapparaten har visat sig vara duktig på. Så länge kravet på insyn har vägt tyngre än kravet på integritet, har dessa informationsmassor gjort god nytta. Först på sistone har tiden vänt blad: numera har försiktigheten inför det etiskt känsliga blivit en hjärtefråga för en bred opinion. Allmänhetens och därmed också statsmaktens inställning till bevarande av sådana personuppgifter som betraktas som socialt misskrediterande är oftast negativ. Att inte låta ett tillfälligt felsteg förfula en individs levnadshistoria är humant och bra, men att gallra information på denna grund har varit mycket främmande för det svenska arkivväsendet. Gallringsbesluten av detta slag har också sedan 1970-talet fattats av en nyskapad myndighet, Datainspektionen, som har haft uppgiften att övervaka att automatisk databehandling inte medför otillbörligt intrång i enskildas personliga integritet. Frågan är hur länge arkivväsendet kan hävda en annan ståndpunkt.

Men det är inte bara myndigheternas röst som hörs i arkivkällornas vittnesbörd om forntid och nutid. Riksarkivet har från 1600-talets början också insamlat enskilt arkivmaterial, och landsarkiven har länge haft samma uppgift på regionalt plan. Under vår egen tid har det vuxit fram särskilda arkivinrättningar, folkrörelsearkiv, för att fånga in föreningars papper, och frågan om näringslivsdepåer för företagsarkiv står högt på arkivens önskelista beträffande framtiden. De enskilda arkiven behövs för att komplettera bilden av historien, för att med sin speciella art ge relief åt de officiella källornas formalism och byråkratspråk. Brev, dagböcker, manuskript, räkenskaper, foton, personliga hågkomster i skriven eller bandad form är de mest levande vittnesbörden i arkiven. Museerna och de vetenskapliga bibliotekens handskriftsavdelningar kompletterar insamlingsarbetet på detta fält i god sämja med arkivväsendet.

ARKIVEN SOM KULTURYTTRINGAR

Ordet "kulturarv" var föga använt i de svenska arkiven, tills begreppet år 1990 plötsligt dök upp i den nya arkivlagen, den första av sitt slag i Sverige. Vad menade lagstiftaren, Sveriges riksdag, med denna nymodighet? Vad det bara fråga om en fras som passade in i ett högtidligt sammanhang, eller låg det en djupare mening i formuleringen? Svaret måste bli det sistnämnda.

I det allmänna kulturklimatet hade pendeln slagit tillbaka efter den stora strukturförändring som hade inträffat i Sverige på 1960- och 1970-talen. Många människors rotlöshet i ett samhälle som förändrades i snabbt tempo, den inre migrationen och den historielöshet och det främlingsskap som den alltid för med sig, hade börjat få alarmerande konsekvenser i individernas kulturella fattigdom och sociala isolering. Kunskap om kontinuiteten, traditionsarvet och de historiska sammanhangen visade sig plötsligt mentalt värdefull i en tid, då framstegsoptimismen fick uppleva sina första nederlag och då spetsen i den ekonomiska tillväxten bröts. Historien tillhandahöll då ett jämförelsematerial som kändes aktuellt. Den historiska litteraturen upplevde en oväntad renässans. Den unga Uppsalahistorikern Peter Englunds *Poltava* (1988), en skildring av Karl XII:s nederlag vid Poltava 1709, blev en bestseller och gick i många upplagor. År 1993 anordnade två stora centralmuseer i Stockholm, Statens Historiska Museum och Nordiska museet, en samordnad jätteutställning vid namn Den Svenska Historien, som besöktes av ett par miljoner åskådare. Människor började strömma in i arkiven. Ännu i skrivande stund har denna historievåg inte nått sin högsta punkt.

Arkivdokumentationen skiljer sig i några hänseenden från övriga kulturminnen. Den förvaras dold för ögat i arkivens magasinsutrymmen och den förutsätter historiska förkunskaper, språkkänsla och ibland färdighet i paleografi för att öppna sig. Den berättar om det förflutna på ett annat sätt än visuellt omedelbart synliga konstverk, föremål eller byggnader. Men för den som behärskar arkivforskningens hantverk är den rika informationsskatten en stor källa till upptäckarglädje. Det behöver inte hemlighållas, att varken den nuvarande eller den äldre forskningen har haft kapacitet att behandla varje dokument som förvaras i arkiven. Dörrarna står fortfarande öppna för dem som vill göra fynd i arkiven!

Det förra seklets store svenske historiker, Erik Gustaf Geijer, skrev en gång, att biblioteken var som matsalar dit man inbjöd gäster, men att arkiven liknade kök där de goda rätterna lagades osynliga för nyfikna blickar. Hans liknelse mellan färdiga produkter och råvaror beskriver korrekt skillnaden mellan bibliotek och arkiv. Arkivhandlingarna är en gång för alla skärvor av Historien, och de lockar inte bara som sådana utan också som pusselbitar som det gäller att sätta in i sitt sammanhang!

Kari Tarkiainen
F.d. förste arkivarie och arkivråd på Riksarkivet

Kungl. biblioteket

ETT NATIONALBIBLIOTEK

Flera gånger har det föreslagits att döpa om Kungl. biblioteket (KB) i Stockholm till Riksbiblioteket eller Nationalbiblioteket. Därigenom har man velat framhäva dess karaktär av Sveriges nationalbibliotek med förpliktelse att bevara allt svenskt tryck. Detta stadgades i en kansliordning 1661. I denna beordrades alla boktryckare i det svenska riket att skicka in till Kungl. Maj:ts kansli två exemplar av varje skrift de tryckt, innan den spreds ut. Det ena exemplaret skulle tillfalla Riksarkivet och det andra KB. Bakom denna föreskrift låg ett övervakningssyfte och ingen omsorg att bevara den nyutkomna litteraturen åt forskningen.

Trots upprepade varningar brydde sig boktryckarna föga om att lyda denna förordning. 1707 utsträckte man leveransskyldigheten till sex friexemplar, som genom Riksarkivet skulle distribueras till KB och universiteten i Uppsala och Lund, liksom till universiteten i Åbo i Finland och i Dorpat i Estland, som då ingick i det svenska stormaktsväldet. Därav uppkom den vilseledande benämningen "arkivexemplar", som först i en lag 1949 byttes ut till biblioteksexemplar. Denna har sedermera 1993 vidgats till att omfatta även dokument för elektronisk återgivning m.m.

Genom 1661 års stadga fick KB status av Sveriges nationalbibliotek, vilket innebär bevarandet både av allt svenskt tryck och av det som trycks i utlandet om Sverige eller av svenskar. Men ett självständigt ämbetsverk blev det inte förrän i november 1877. Dittills hade det hört till konungens kansli. Trots namnet var KB ändå inte kungens privata bibliotek, även om de kungliga under 1600-talet inte alltid skilde mellan egen och kronans egendom. I 1713 års kansliordning hade det bestämts, att KB skulle stå öppet dagligen på vissa tider för dem som fått tillstånd genom kanslikollegiet (efter 1801 av hovkanslern). Men inga böcker var då till utlån. Först i december 1863 beviljades hemlån mot borgen. Då fungerade det som ett offentligt bibliotek.

När KB den 2 januari 1878 öppnade dörrarna för allmänheten till den nyuppförda byggnaden i Humlegården i Stockholm, kunde det äntligen leva upp till sin status som nationalbibliotek.

BIBLIOTEKET PÅ SLOTTET TRE KRONOR
Många notiser i Riksarkivets registratur och räkenskaper tyder på att redan Gustav Vasa på 1520-talet anskaffade böcker i historia, naturvetenskap, teologi samt musikalier och kartor till slottet Tre Kronor i Stockholm. Sönerna Erik XIV, Johan III och Karl IX ökade sedan på boksamlingarna. 1587, under Johan III:s tid, inreddes en nära 80 meter lång vindsvåning, kallad "Gröna gången", med öppna bokhyllor. Åtta år senare finner man Nicolaus Olai tillsatt som ansvarig för kungens böcker.

Vasakungarna köpte i allmänhet sina böcker från utlandet, men de kunde också lägga sig till med volymer för egen räkning ur de samlingar som beslagtagits i landets katolska kloster under införandet av den lutherska läran. 1620 donerade

Slottet Tre Kronor från nordost. Gravyr av Adam Perelle efter förlagor av Erik Dahlberg i Suecia Antiqua et Hodierna. "Gröna gången" gick i den smala vindsvåningen med takryttaren i den slottslänga som vette mot Helgeandsholmen. "Gref Pehrs hus", dvs. Per Brahes palats på Helgeandsholmen, dit biblioteket flyttade 1730, är markerat med bokstaven E. Foto: KB.

Gustav II Adolf den samlade resten av de svenska medeltida klosterbiblioteken till Uppsala universitet och därmed lades grunden till dess bibliotek.

Under de följande decennierna skulle det flöda in böcker till Sverige genom de krigsbyten som svenskarna tog under fälttågen på kontinenten, bland annat under det trettioåriga kriget. Genom påbud från högsta ort beslagtogs böcker och handskrifter i kloster, domkyrkor, kungliga och privata slott i Balticum, Polen, Tyskland, Böhmen, Mähren och Danmark. De forslades till hemlandet och införlivades i första hand med de offentliga samlingarna, främst Uppsala universitetsbiblio-

Djävulsbilden i Codex gigas. Foto: KB.

tek och KB. Ifrån Prag togs 1648 KB:s mest spektakulära handskrift, den så kallade Djävulsbibeln, *Codex gigas*, från 1200-talet. Då svenskarna skickade rapporter från fälttågen, bifogade de ibland lokala tidningar eller flygblad. Genom dessa sällsynta tryckalster har KB kommit att få en särställning i Europas äldsta tidningshistoria.

Under åren 1611–34 var vården av Riksarkivet och konungens bibliotek anförtrodd Johannes Bureus, som därefter blev utnämnd till riksantikvarie. Att en enda person således kunde inneha alla dessa tre ämbeten ger en antydan om deras nära administrativa samband inom Tre Kronors murar. 1634 utnämndes mäster Lars Fornelius att handha "våre och kronans bibliotek, såväl det gamla som det nya". Med det sistnämnda menades de krigsbyten som nu behölls i slottet för drottning Christinas räkning. Fram till 1650 hopade sig boklårarna i slottet. Drottningen kallade då in en rad utlänningar som bibliotekarier. Holländaren Isak Vossius genomförde 1651–52 en uppordning av bokmängden enligt ett system med ryggsignaturer, som gör de volymer ur drottningens bibliotek som numera finns kvar i bland annat KB lätta att känna igen.

För att härbärgera alla böcker lät drottningen inreda flera rum i Tre Kronors östra flygel. Men samtidigt skingrade hon själv stora delar av biblioteket genom gåvor till gunstlingar, som till exempel greve Magnus Gabriel De la Gardie, och till biblioteken i gymnasierna i Strängnäs och Västerås, vilka inrättats av Gustav II Adolf för utbildning av män till statens och kyrkans tjänst. Som ersättning för innestående lön och utebliven betalning för faderns bibliotek, som sålts till drottningen, tog Vossius vid avresan från Sverige med sig åtskilliga böcker och handskrifter, som nu till dels återfinns i Leidens

*Några volymer med ryggsignaturer ur drottning Christinas bibliotek.
Foto: KB.*

universitetsbibliotek. Men de förnämsta skatterna förde Christina med sig till Rom, då hon efter sin abdikation 1654 lämnade Sverige. En stor del av dessa finns nu i Vatikanbiblioteket, där de bildar en särskild avdelning.

Viss kompensation för denna åderlåtning fick KB genom de krigsbyten som Karl X Gustav förde med sig hem från fälttågen i Polen och Danmark 1655–60. Efter 1660 stagnerade tillväxten av biblioteket, även om det tillkom några accessioner under 1680-talet i samband med Karl XI:s reduktion av adelns egendom. Men denne kung donerade 1683 till Lunds universitetsbibliotek ca 6 000 böcker, som ingått bland annat i drottning Christinas bibliotek. Av De la Gardies boksamling donerade han huvudparten till Uppsala universitetsbibliotek. Den svenskspråkiga och historiska litteraturen överfördes till Antikvitetskollegiet, som grundats 1666. Detta slogs 1690 samman med det embryo som Johannes Bureus skapat på 1630-talet till Antikvitetsarkivet.

Den stora katastrofen i KB:s historia inträffade fredagen den 7 maj 1697. Strax före klockan två på dagen utbröt en våldsam eldsvåda i slottets västra länga. Efter ett dygns brand var större delen av Tre Kronors äldre partier förstörda. Av kanslilängan och KB:s lokaler i nordöstra flygeln återstod då ingenting. Böckerna hade i all hast burits ut via kanslitrappan eller kastats ned på strandvallen genom fönstren fyra trappor upp. Än idag kan man i KB:s samlingar finna svedda och sotiga bokband som minnen från denna slottsbrand. 17 386 böcker och 1 103 handskrifter gick förlorade. Inventariet, upprättat efter branden, upptar 6 826 böcker och 283 handskrifter, däribland Djävulsbibeln, som hade klarat sig. Återstoden överfördes först till greve Axel Lillies hus på nuvarande Opera-tomten, därefter ställdes den upp 1702–30 i Bondeska palatset och 1730–68 i Per Brahes hus på Helgeandsholmen. Men "Gref Pehrs hus" var i så dåligt skick, att trossbottnarna hotade att störta in. Från dessa ytterst provisoriska lokaler kunde KB 1768 äntligen flytta in i det ombyggda slottets nordöstra flygel, vars inredning dock inte blev färdig förrän 1796.

I TESSINSKA SLOTTETS BIBLIOTEKSFLYGEL

Vid planeringen av Stockholms slotts ombyggnad reserverade arkitekten Nicodemus Tessin d.y. utrymmen för Riksarkivet i slottets norra och nordvästra nedre valv. Men när frågan om förläggningen av KB blev aktuell på 1740-talet, var läget annorlunda än direkt efter slottsbranden. KB hade blivit en institution öppen för allmänheten. Man planerade också att slå samman KB med Antikvitetsarkivet. En plan till denna sammanslagning stadfästes av regeringen 1751 men förverkligades aldrig. KB:s blivande chef, Magnus von Celse, gav samma år ut

Einäscherung deß königlichen Schwedischen Schloßes in Stockolm

Slottsbranden 1697. Fantasibild, tyskt kopparstick. Foto: KB.

Bibliothecae regiae Stockholmensis historia. I denna historik omtalar han donationerna från Johan Gabriel Sparfwenfeldt 1705 (bland annat *Codex aureus* från ca 750) och från E. Carleson och C.F. von Höpken av de äldsta turkiska boktrycken från 1726–41.

Men KB:s situation var prekär. Bibliotekets enda inkomst, 600 daler silvermynt fastställd 1703, räckte inte till mer än att hålla 1 à 2 utländska tidskrifter och inbindning av det svenska trycket, när omkostnaderna för skrivmateriel, ljus m.m. avgått. För att hjälpa upp ekonomin ställde riksdagen 1770 restupplagan av Erik Dahlberghs *Suecia antiqua et hodierna* till disposition för försäljning eller byte. (Några kopparsticksavdrag finns fortfarande kvar på KB, men huvudparten av det tryckta Dahlbergh-materialet hamnade under 1860-talet på Nationalmuseum.)

Under 1700-talets andra hälft förbättrades KB:s läge väsentligt. Det viktigaste tillskottet kom 1780, då Antikvitetsarkivets samlingar delades upp. KB hade visserligen därifrån redan tidigare fått en välbehövlig förstärkning av svensk litteratur som ersättning för det som förstördes under slottsbranden. Men nu fick KB överta större delen av arkivets medeltida handskrifter, som tillhört Vadstena kloster, och isländska handskrifter förutom alster av 1600-tals lärde som Bureus, Stiernhielm, Hadorph, Verelius och Peringskiöld med flera — således en väsentlig del av bibliotekets grundstomme. Då även Magnus Gabriel De la Gardies böcker hamnat hos Antikvitetsarkivet i samband med Karl XI:s reduktion, erhöll KB nu exempelvis den unika samling stadsvyer, som Gustav II Adolf 1621 beställt i Amsterdam och drottning Christina ärvt men givit bort. Riksarkivet fick också sitt vid denna delning. Men under 1880-talet gjorde KB och Riksarkivet ett byte: KB lämnade ifrån sig sina medeltida pergamentsbrev och fick i stället medeltida lagböcker, handskrivna krönikor och Erik Dahlberghs teckningar till Suecia-verket.

Genom förvärven från Antikvitetsarkivet kan man säga, att det svenska stormaktsväldets litterära arv införlivades med KB.

På samma sätt kom det finaste inom 1700-talets bibliofili att tillfalla KB, då staten vid seklets mitt köpte politikern och kulturpersonligheten Carl Gustaf Tessins ca 7 000 böcker, för att dessa skulle kunna vara till nytta vid kronprins Gustavs (sedermera Gustav III) uppfostran, som handhades av Tessin. Drottning Lovisa Ulrikas i stort sett fullständiga svit av de franska salongernas skrifter och encyklopedisternas brevväxling hamnade också i KB. När Uppsala universitetsbibliotek fick Gustav III:s papper i 120 band, fick KB 1792 som tröst dennes handbibliotek om ca 15 000 volymer. Fyra år senare erhöll KB Gustav IV Adolfs boksamling om ca 7 500 band. På ett par decennier hade således KB:s samlingar fördubblats.

1796 kunde KB äntligen flytta in i den boksal, som inretts av Carl Johan Cronstedt och Carl Fredrik Adelcrantz, men biblioteket måste dela utrymmen i slottets nordöstra flygel med Kongl. Museum, Vitterhets Historie och Antikvitetsakademien och Svenska akademien. Det blev snart trångt.

DET SVENSKA TRYCKET PRIORITERAS

I en ämbetsberättelse 1813 läggs riktlinjerna upp för KB:s framtida verksamhet. KB borde omfatta allt som hörde till kännedomen om fäderneslandet i alla avseenden, hela den svenska litteraturen, "som på något ställe i Riket måste finnas fullständig, och framförallt i National-Biblioteket, vidare språkvetenskap och lärdomshistoria samt sådana sällsynta och kostbara verk, som svårligen kunna förvärvas av enskilda".

Under 1800-talet vinnlade man sig inom KB om att täppa till de stora luckorna inom det svenska trycket, i synnerhet från äldre tider. Trots 1661 års fastställda leveransplikt var det först nu efter återflyttningen till kungliga slottet, som KB kunde lägga kraft bakom varningarna till tryckerierna.

En väsentlig accession erhöll KB 1828, då ca 5 600 nummer svensk historia och biografi m.m. köptes in. Av stort värde för svensk lärdomshistoria blev också förvärvet av Carl Christoffer Görwells brevsamling 1840. Han hade varit verksam vid KB i 39 år, 1756–95. Men då KB:s inköpsanslag var knappa, anskaffades nästan ingen utländsk litteratur, utan man prioriterade allt svenskt.

Utländska besökare, som främst ville studera de medeltida handskrifterna, förfasade sig över oordningen i KB. Det fanns knappt läsrum för allmänheten och personalen saknade arbetsrum. Men de fann oredan ändå ursäktlig, eftersom tjänstemännen var så dåligt avlönade, att de måste söka inkomster på annat håll.

Vid 1800-talets mitt började man genomföra en delning av KB:s utländska och svenska samlingar. Grunden till den självständiga svenska avdelningen lades genom att från de humanistiska facken ta ut alla svenska arbeten. Dessutom började man ordna upp det svenska småtrycket (det vill säga accidens-, reklamtryck och dylikt) enligt ett systematiskt schema.

Vid denna tid hade uppförandet av Nationalmuseum påbörjats. Därför visste man, att Kongl. Museums lokaler i slottet skulle utrymmas. Men det hade också blivit uppenbart, att KB fordrade sin egen nybyggnad, och studieresor företogs 1864 till Paris och London. Först ansågs British Museums planlösning vara bäst, men man insåg sedan att en plan liknande Bibliothèque S:t Geneviève's gav större expansionsmöjligheter. En 29-årig arkitekt, F. Gustaf A. Dahl, fick nu erbjudandet att som stipendiat studera vidare i London och Paris och sedan rita ett förslag till en biblioteksbyggnad. 1870 fick Dahl riksdagens uppdrag att fullfölja denna projektering.

*Interiörer från Kungl. bibliotekets lokaler i slottet. Xylografi i Ny
Illustrerad Tidning 1877. Foto:* KB.

Kungl. bibliotekets läse- och lånesal i slottet. Forskare och tjänstemän
samlade kring Djävulsbibeln. Xylografi efter teckning av Nils G.
Janzon i Ny Illustrerad Tidning 1877. Foto: KB.

FLYTTNING TILL HUMLEGÅRDEN

Under 1850- och -60-talen presenterades många nya stads-
planer för Stockholm. Befolkningen hade under de senaste 25
åren fördubblats, och det hade blivit nödvändigt att rensa upp
i stadens slum.

Stockholms motsvarighet till Paris' G.E. Haussmann,
Albert Lindhagen, hade 1866 lagt fram sin plan med breda
esplanader omgivande stadens centrum. I norr tangerade
planen Humlegården. Denna park hade en gång varit Vasa-
kungarnas köksträdgård. Mitt i den låg sedan 1687 en pavil-
jong, som under 1700-talet kommit att hysa en teater och
restaurang. På 1860-talet hade Humlegården rätt dåligt rykte.

Visserligen hade några propra hus uppförts utefter dess östra sida, men den omgavs mest av ruckel och kunde därför inköpas av staden till ett billigt pris.

KB:s personal såg knappast fram mot nybygget i Humlegården med entusiasm. Men Gustaf Dahls praktiska inställning till sin uppgift kom att genomsyra arbetet. I juli 1871 lades grundstenen. Byggnadstiden kom att karakteriseras dels av det svåra ekonomiska läget i landet, dels av förhållandet att man befann sig i en övergångstid mellan hantverk och industriell utveckling. I början måste man importera mycket materiel från England, som gjutjärnspelare, balkar, rör och dylikt. Men 1873–74 började delar av den svenska industrin komma ifatt.

Efter förebild från huvudmagasinet i Bibliothèque Nationale i Paris hade Dahl jämt över byggnaden fördelat gjutjärnskolonner, som bar upp magasinsvåningarnas bjälklag. Därigenom avlastades trycket på ytterväggen och fönstren kunde göras större. Dahls intention riskerade dock att gå om intet, men i sista stund åtog sig en svensk firma att leverera fönsterramar i lättare smidesjärn, vilket dittills ingen klarat av i Sverige.

KB-bygget blev således i mångt och mycket ett experiment för svensk verkstadsindustri. När det 1877 var färdigt, ansågs det även utomlands vara ett ur teknisk synpunkt ovanligt funktionellt bygge. Totalt hade det kostat 960 000 kronor. Till en början fanns gasbelysning i läsesal, låneexpedition och vestibul. 1887 infördes elektrisk belysning i fem arbetsrum. Under 1891 byttes gasledningen ut mot elektriskt ljus. Men full elektrisk belysning i magasinen fick man inte förrän 1964! Redan 1873 hade KB:s chef Gustaf E. Klemming gjort den obehagliga upptäckten, att man inte skulle få tillräckligt med

Kungl. bibliotekets läsesal i den nya Humlegårdsbyggnaden. Xylografi efter O. A. Mankell och R. Haglund i Ny Illustrerad Tidning 1878. Foto: KB.

accessionsutrymme i Humlegårdsbyggnaden. Av ekonomiska skäl hade Dahl redan 1870 tvingats att krympa byggnaden både på längd och bredd ca en sjättedel. Nybygget var planerat för 200 000 volymer, men man hade nästan uppnått detta antal före flytten.

Vid flyttningen från slottet till Humlegården genomfördes konsekvent tudelningen av den svenska och utländska litteraturen vid sidan av handskriftsavdelningen. Flytten skedde under hösten 1877. Nyårsdagen 1878 såg stockholmarna den reslige, vitskäggige Klemming som siste man lämna slottet med två folianter under armen och följande en vaktmästare som drog *Codex gigas* i en släde. I de utrymda salarna lämnades kvar Oscar II:s och drottning Sofias böcker. Efter restaurering öppnades här 80 år senare Bernadottebiblioteket.

Gustaf E. Klemming, kunglig bibliotekarie 1865–90. Oljemålning av J.F. Schäf 1899. Foto: KB.

År 1862 hade man påbörjat en katalog, skriven på lösa oktav-
lappar, som var och en upptog en boks titel och som ordnades
upp i ett titel- och ett ämnesregister. Dessförinnan hade man
varit hänvisad till liggare, i vilka böckerna numrerats. Den ast-
masjuke Klemming kom under åren 1879–90 att vistas "hvar-
je dygn hela året igenom" på KB. Som sin "hufvudsakliga
medicin" ägnade han sig här åt en viktig bibliografisk verk-
samhet. Han bemödade sig om att skaffa svensk-amerikansk
litteratur, och han påpekade vikten av att ta hand om små-
trycket, som uppdelat i 149 grupper utgjorde "ett icke ovä-
sentligt bidrag till historien om kulturutvecklingen, seder och
bruk, affärslifvet, m.m.". Många sentida forskare har välsignat
Klemmings framsynthet. Hans insats harangerades 1891, då
han blev föremål för den första festskrift som en ej kunglig
svensk fått.

KB:s övriga personal kände också ett bibliografiskt ansvar
och kom bland annat med uppslaget att trycka en gemensam
accessionskatalog över utländsk litteratur, anskaffad till
Sveriges offentliga bibliotek (från 1886). Denna idé genomför-
des av Erik W. Dahlgren. Denne blev 1903 chef för KB och där-
med började en dynamisk utveckling inom verket. Han hade
bakom sig en lång verksamhet som notarie i riksdagen.
Därigenom ägde han goda förbindelser, som kom KB till godo
i form av ökade anslag till bokinköp och personal. Han inför-
de en ny instruktion för KB 1910. Samma år ändrades också
chefstiteln till riksbibliotekarie.

Dahlgren började som chef med en generalmönstring av KB
för att utröna dess storlek vid årsskiftet 1903/04. Han kunde
då konstatera, att med KB:s 314 902 band och kapslar var man
nästan i paritet med Uppsala universitetsbiblioteks 341 911

Kungl. biblioteket 1885. Foto: Axel Lindahl, KB.

band. KB:s svenska avdelning var något större, medan handskriftssamlingen i Uppsala var överlägsen. KB:s styrka låg inom facken Bibliografi, Litteratur- och Kyrkohistoria, Geografi, Skön konst, Arkeologi, Politisk ekonomi och Statsvetenskap samt allmänna tidskrifter. Inom ämnena Historia, Biografi, Juridik, Skönlitteratur och Filosofi var de båda biblioteken jämbördiga. KB:s unika samling småtryck uppskattade Dahlgren till nära en miljon nummer.

1878 hade KB erhållit den Rålambska samlingen, bildad av 1700-talets betydande boksamlare Gustaf Rålamb och innehållande handskrifter (bland annat turcica) och 1 630 svenska böcker äldre än 1750. Det dröjde till 1906, innan KB från Hildesheim lyckades köpa in den första i Sverige tryckta boken, *Dyalogus creaturarum moralizatus,* från 1483. Men Dahlgren ivrade inte lika mycket för det svenska trycket som föregångarna, utan han fann det viktigare att skaffa utländsk litteratur. Tack vare den fördelaktiga valutakursen under första världskriget kunde han exempelvis 1916 skaffa "10 970 titlar eller sammanlagt 154,82 m" böcker, främst från Tyskland och Österrike. I ett par år hade KB då förvärvat huvudparten av den anglosachsiska och romanska litteraturen genom kommissionärer i London, Paris, Haag och Leipzig.

Accessionen var ansenlig under Dahlgrens tid. Bland annat tillkom 1909 2 377 holländska 1600-talstryck från Elzevierernas officiner, och två år senare 286 1400-talstryck. Förutom geografisk litteratur ägnade Dahlgren ett speciellt intresse åt KB:s samlingar av porträtt, kartor, planscher och vykort. 1913 köptes ca 30 000 porträtt och ca 1 950 gravyrer och planschverk. I 1916 års berättelse lät Dahlgren kart- och planschsamlingen få en egen rubrik.

År 1909 var för KB "ett bemärkelseår, i betydelse att jämställa med året 1878" enligt Dahlgren. Budgetanslaget höjdes då till 131 500 kronor och även lönerna höjdes. Men personalen måste nu tjänstgöra dagligen i sex timmar, vilket den inte varit skyldig att göra tidigare. Hittills hade det varit svårt att rekrytera män till KB:s dåligt betalda tjänster. Detta hade nog varit anledningen till att man med tvekan i november 1905 antagit som e.o. amanuens den första kvinnan, Valfrid Palmgren. Som biträden hyste man inga betänkligheter inför kvinnlig arbetskraft; 1909 anställdes fyra "damer".

TVÅ FLYGLAR BYGGS TILL

En ombyggnad av KB 1912–13 avhjälpte de mest framträdande olägenheterna. Men det kom att falla på Dahlgrens efterträdare, Isak Collijn (1916–40), att genomföra en radikal lösning av lokalfrågan. Han lyckades vinna statsmakternas gehör och 1920 lade arkitekten Axel Anderberg fram ett om- och tillbyggnadsförslag.

Även denna gång krymptes förslaget med en tredjedel. Som första etapp ändrades den stora visningssalen genom entresolering, så att man fick rum med bland annat handskriftsavdelningen. 1926–27 förlängdes Dahls bygge med två flyglar. Förutom mer magasinsutrymme tillkom nu en forskarsal och plats för kart- och planschsamlingen i östra flygeln. I 1928 års berättelse framhöll Collijn, att den genomförda tillbyggnaden bara tillgodosett de mest trängande utrymmesbehoven, och att åtskilliga önskemål väntade på att bli uppfyllda. 1942 stod man i begrepp att bygga om biblioteket. Ett anslag beviljades 1946/47, men detta utnyttjades först tio år senare.

Som forskare ägde Isak Collijn en eminent sakkunskap i fråga om det svenska och utländska äldre trycket. Innan han blev riksbibliotekarie gav han ut kataloger över KB:s utländska inkunabler (1914, suppl. 1940) och den De la Gardieska stadsvysamlingen (1915). Viktigaste insatsen blev bibliografierna över det svenska trycket före 1700 (1934–46). Collijn såg också till att de av Dahlgren föreslagna nya katalogreglerna genomfördes. Under sina utländska studieresor hade han blivit övertygad om att "vårt katalogväsen står på en föråldrad ståndpunkt, som kräver rättelse". Den gamla nominalkatalogen om ca 600 000 blad skrevs nu över på cards, som togs i bruk 1928.

KB:s dåtida accession präglades i hög grad av "der Reisebibliothekar", som Collijn skämtsamt kallades. Hans stora internationella renommé underlättade kontakterna mellan KB och utländska institutioner för att få igång en bytesverksamhet. Men han grep inte tillfället till närmare samarbe-

Valfrid Palmgren, den första kvinnliga e.o. amanuensen i KB:s historia.
Foto: Ferd. Flodin 1905, KB.

te med Stockholms högskola på 1920-talet. Han fick därför inte tillgång till doktorsavhandlingar att byta med.

Betydelsefullast av alla förvärv var dock den stora deposition av Strindbergsmanuskript som handskriftsavdelningen fick ta emot från Nordiska museet 1922. Eftersom August Strindberg hade tjänstgjort på KB som e.o. amanuens under åren 1874–82, hade det kanske varit naturligt, att hans kvarlåtenskap hamnat på KB redan vid hans död 1912. Men E.W. Dahlgren ansåg då, att vad som hade samband med modern litteratur inte hörde hemma på ett vetenskapligt bibliotek. Hans efterträdare kom att hysa annan åsikt.

Krigsåren liksom åren närmast därefter innebar en stagnation på grund av ekonomisk njugghet från statsmakternas sida. Men 1950 började en förändring att skönjas. Nils Afzelius blev då chef för handskriftsavdelningen, och hans kompetens och specialintresse kom genast att prägla accessionen av handskrifter. Således lämnades Selma Lagerlöfs papper nu som deposition av Mårbackastiftelsen. Följande år blev Olof von Feilitzen föreståndare för utländska avdelningen och satte omedelbart igång med att komplettera "bibliotekets bestånd av tidskrifter inom de humanistiska ämnesområdena".

EN NY ERA INLEDS

Uno Willers tillträde som chef 1952 kom att innebära början till en stark utveckling. Redan följande år ställde staten ett stort extra anslag till förfogande för att von Feilitzen skulle kunna fortsätta att köpa in de mest angelägna desiderata. Willers skulle senare få en miljon av staten till upprustningen. Genom dessa betydande engångsanslag hade gynnsamma arbetsbetingelser skapats för KB.

I ett avtal med Stockholms högskola/universitet i december 1953 drogs riktlinjerna upp för KB:s utveckling till "ett humanistiskt och samhällsvetenskapligt universitetsbibliotek". Genom detta avtal fick KB tillgång till en betydande del av högskolans avhandlingar för att användas som bytesmaterial. Därmed fick KB en förmån, som universitetsbiblioteken åtnjutit länge; Lund ända sedan 1818. Vid 1953 års slut hade KB 270 bytesförbindelser, 1976 hade antalet vuxit till 654.

Under 1953 anskaffades också från Leningrad och Moskva

August Strindberg, e.o. amanuens på Kungl. biblioteket 1874–82.
Foto: KB.

en betydande mängd rysk litteratur. Den skulle bilda bas till en upprustning av ett slavica-bibliotek i Stockholm. Detta befästes 1964 genom en överenskommelse mellan Leninbiblioteket i Moskva och KB om ett utbyte av respektive länders litteratur.

Väsentligast för Willers blev dock att genomföra en omorganisation av KB och dessutom se till att biblioteket fick större utrymmen. I 1953 års berättelse beskrev han läget vid sitt ämbetstillträde: "trångboddheten i den under sin 75-åriga tillvaro endast med ca 25 procent utvidgade byggnadskroppen (hade) nu nått det stadium att vissa av bibliotekets funktioner lamslagits, samtidigt som byggnadens vanvård blivit påfallande". Administrativt började han med att slå samman de svenska och utländska bindsektionerna till en, som 1955 döptes om till bokvårdsavdelningen. I stället för den gamla utländska avdelningen organiserades en förvärvsavdelning, medan katalogiseringen av detta tryck övertogs av en katalogavdelning inom Bibliografiska institutet.

Tanken på att inrätta en bibliografisk institution vid KB hade framförts redan 1921. Genom att redaktionen för accessionskatalogen hade sitt säte på KB, hade detta blivit "ett slags bibliografisk central för landet". Frågan fick ökad aktualitet 1951, när det blivit klart, att Svenska bokförläggareföreningen av ekonomiska skäl fann sig nödsakad att avbryta sin 80-åriga utgivning av *Svensk bokkatalog*. En kommitté tillsattes och i oktober 1952 överlämnades till Kungl. Maj:t en pm "med förslag innebärande att redigerigen av nationalbibliografin i samtliga dess stadier skulle överföras till kungl. biblioteket ... och där fullgöras av ett bl.a. för detta ändamål upprättat bibliografiskt institut". Under provisoriska former började institutet sin verksamhet 1953.

Bibliografiska institutets tillkomst aktualiserade en reform av KB:s kataloger. Från och med 1956 genomfördes nya regler för bibliotekets katalogisering och uppställning i magasinen i compactus-system. De kommande decennierna kom att innebära vidare katalogreformer, från 1970 betingade av KB:s anslutning till ADB-tillämpning, till LIBRIS (LIBRary Information System).

1958 inleddes en central katalogisering av det svenska trycket, då KB erhållit som ny ämbetsuppgift att förse universitetsbiblioteken med katalogkort utan kostnad, och andra bibliotek efter särskilt avtal. I och med att man 1975 började övergå till ADB-behandling av detta tryck, kom centralkatalogen att upphöra i 1958 års form. Även accessionskatalogen blev 1956 föremål för en modernisering, men 1972 lades den om inom ramen för LIBRIS-projektet för att slutgiltigt läggas ner 1993.

År 1958 lades också grunden till en avdelning för grammofonskivor och bandupptagningar. Förebilden till detta "nationalfonotek" var i viss mån la Phonothèque Nationale i Paris, som är en självständig underavdelning till det franska nationalbiblioteket. 1979 kom fonotekets samlingar att överlämnas till det nybildade statliga Arkivet för ljud och bild.

Största bekymret var dock KB:s lokalfråga. Då det fortfarande fanns disponibelt ett investeringsanslag från budgetåret 1946/47 om 590 000 kr, kunde en första etapp av KB:s ombyggnad starta 1956. Arbetet kom att ledas av arkitekten Carl Hampus Bergman. Allra först entresolerades mittrisalitens vind och en ny central hiss fick ersätta den gamla lilla bokhissen. Efter denna början fortsattes KB:s omdaning fram till 1971 i ytterligare fyra etapper. Som sista etapp byggde man invid bibliotekets nordfasad ett underjordiskt bokmagasin, vars hisstorn förbands med huvudbyggnaden av en täckt glasgång.

Utanför Stockholm, i Bålsta, uppfördes 1962 Statens biblioteksdepå, ritad av arkitekt Leif Olsson. Denna depå var ett resultat av det samarbete som grundats 1949 inom Stockholmsbibliotekens samarbetsnämnd; ett annat var den "bokbil" för låneservice som började cirkulera mellan biblioteken 1953. Denna depå används även av andra bibliotek än KB. Trots att den byggdes ut 1975 och 1986, är dess utrymmen dock i längden otillräckliga.

Ulla Ehrensvärd
Professor honoris causa, f.d. förste bibliotekarie på KB

*

Expansionen inom KB under Uno Willers' chefstid (1952–77) var märkbar inom alla avdelningar men procentuellt störst inom handskrifts- och kart- & planschavdelningarna; 1953 utgjorde handskriftsaccessionen 4,47 hyllmeter, 1976 51,7. Förvärven var främst betingade av Willers' personliga kontakter. Således kom Dag Hammarskjölds arkiv till KB efter hans död 1961. 1971 blev KB även mottagare till Pär Lagerkvists, Erik Lindegrens, Vilhelm Mobergs och Sigfrid Siwertz' arkiv samt 1975 till Lucien Maury's manuskript. Några år före sin död 1974 testamenterade f.d. utrikesministern Östen Undén sitt arkiv till KB.

Men KB kunde också lämna ifrån sig material. Sålunda donerades 1975 till det nyuppförda Stofnun Árna Magnússonar i Reykjavík Heimskringla-fragmentet från ca 1250. Till Gustaf VI Adolfs bibliotek för östasiatisk forskning deponerades bland annat det japanska bibliotek som A.E. Nordenskiöld fört med sig från Vega-expeditionen och 1880 skänkt till KB.

Det fanns hos Willers en ambition att leva upp till och överglänsa den expansionskraft som hans morfar E.W. Dahlgren visat vid seklets början. 1965 konsoliderades till hans glädje riksbibliotekariens ställning som tillsyningsmyndighet för bland annat landets stifts- och landsbibliotek. Senare, år 1968, kunde även Strängnäs stifts- och läroverksbibliotek inkorporeras under KB:s egid. KB fick 1965/66 också in en fot i planeringen av Stockholms universitetsbibliotek i Frescati genom tillsättandet av en institutionstjänst. Samma år inrättades även under riksbibliotekariens ordförandeskap Forskningsbiblioteksrådet (FBR) för samordning och effektivisering av den vetenskapliga biblioteksvärlden.

Från Stockholms universitets håll önskade man emellertid en gränsdragning mellan KB och Frescati-biblioteket, och 1977 upplöstes det personalorganisatoriska samarbetet dem emellan. KB upphörde därmed att fungera som universitetsbibliotek för Stockholms universitet i samband med att det fulla ansvaret för bokförsörjningen nu överlämnades till universitetet. En tjugofemårig dubbelroll för KB som nationalbibliotek för Sverige och samhällsvetenskapligt och humanistiskt universitetsbibliotek för Stockholm hade därmed gått till ända. Biblioteket upphörde då i praktiken att förvärva bland annat utländsk samhällsvetenskap och kunde koncentrera sin utländska accession på de humanistiska grunddisciplinerna, en ordning som fortfarande gäller.

Sedan rollen som universitetsbibliotek släppts, kunde KB ägna mer energi åt sitt primärområde, det svenska trycket, och denna ambition manifesterade sig på flera sätt. Det så kallade svenska småtrycket, numera "okatalogiserat tryck", varmed avses den mycket stora mängd tryckalster som inflyter i tryckleveransen men som inte behandlas och analyseras lika utförligt som vanliga böcker, tilldelades en egen sektion inom KB:s organisation 1981. Inom denna sektion hanteras flera olika kategorier dyrbart och efterfrågat material, till exempel affischer.

År 1983 tilldelades biblioteket särskilda medel av regeringen för att åstadkomma en total mikrofilmning av den svenska dagspressen, som framför allt under perioden vid senaste sekelskiftet trycktes på ett papper som är av så dålig kvalitet att det på sikt inte går att rädda i original. Den nyutkomna dagspressen filmas omedelbart. Den retrospektiva filmningen är ännu inte avslutad.

Genom ett mycket generöst anslag från Riksbankens

Jubileumsfond kunde KB under 1980-talet slutföra ett mer än tioårigt projekt som syftade till att göra den svenska nationalbibliografin bakåt heltäckande. Någon fullständig och tillförlitlig redovisning av utgivningen i landet från åren 1700–1829 hade dittills saknats men finns nu lätt tillgänglig i en speciell databas. Därmed är den svenska tryckproduktionen från 1400-talets slut fram till våra dagar tillfredsställande beskriven.

När det gäller beskrivningen och analysen av den utkommande svenska boklitteraturen, den så kallade nationalbibliograferingen, träffades i början av 1990-talet ett avtal med utgivarna om ett tätare samarbete och en mycket snabb frivillig leverans av nyutgivna böcker i Sverige. Resultatet har blivit en mycket aktuell nationalbibliografi redovisad såväl i LIBRIS' databas som i de konventionella publikationerna på papper.

I samband med etableringen i Sverige under 1990-talet av publicering i elektronisk form, i första hand på ett fast medium typ CD-ROM, aktualiserades en sedan länge efterfrågad modernisering av den svenska tryckleveranslagstiftningen. Den modifierade lagtext som riksdagen till sist antog 1993 har dock tyvärr mycket snart visat sig otillräcklig: den mycket snabbt framväxande dynamiska elektroniska utgivningen *on line* lämnades därhän helt i det förberedande utredningsarbetet, vilket var fullt förståeligt vid den tidpunkten. De senaste årens utveckling har dock visat att denna publikationstyp omöjligen kan ignoreras om man vill säkra en fullständig version av det svenska kulturarvet för framtiden

LIBRIS

År 1979 valde statsmakterna att vid sidan av KB inrätta ett särskilt planerings- och samordningsorgan för den vetenskapliga informationsförsörjningen, Delegationen för vetenskaplig och

teknisk informationsförsörjning, DFI, i vilken Forsknings-
biblioteksrådet uppgick. Därigenom förlorade KB en väsentlig
del av den centrala ställning man haft i bibliotekssamhället
under en period. Relationerna mellan dessa båda myndigheter
krävde stor ömsesidig respekt och var inte alltid så lätta att
handskas med. Särskilt besvärlig kom LIBRIS-frågan att bli, där
KB hade ansvar för drift och underhåll av systemet, medan DFI
ansvarade för systemets fortsatta utveckling. Detta arrange-
mang bringades till en bättre lösning 1988 då KB inte bara fick
totalansvar för det för biblioteksvärlden allt viktigare LIBRIS-
systemet utan också axlade samordnings- och planeringsan-
svaret från DFI. Uppgiften att vara en motor i den svenska
informationsförsörjningen övergick nu helt till KB, en utveck-
ling som sannolikt varit till gagn för biblioteksväsendet i dess
helhet då huvudmannaskapet blivit mera entydigt och lätt-
administrerat.

Som rikstäckande system hade LIBRIS under en period vissa
svårigheter med trög teknik och dyrare drift än användarna
förväntat, men från mitten av 1980-talet fick LIBRIS en allt star-
kare ställning bland biblioteken som nationell samkatalog.
Under de senaste tio åren har databasen växt till 5 miljoner
poster och transaktionsvolymerna mångdubblats. Detta var en
anmärkningsvärd utveckling eftersom de svenska forsknings-
biblioteken samtidigt inhandlade lokala bibliotekssystem.
Den snabba persondatorutvecklingen bidrog emellertid till att
samspelet mellan den lokala och den centrala basen löstes smi-
digt.

LIBRIS har också under en femtonårsperiod fått många till-
kommande rutiner som stärkt dess ställning. Ämnessökning
infördes i mitten av 1980-talet för att utbytas mot en bättre
rutin vid 1990-talets början. En avancerad fjärrlånerutin med

automatiska beställningar har haft en rikstäckande framgång med ständigt nya tillkommande kunder. Samtidigt bidrog LIBRIS' anslutning till SUNET, det svenska universitetsdatanätet, och därutöver Internet, till ytterligare spridning av de olika tjänsterna till användarna.

Efter mitten av 1990-talet står LIBRIS inför en genomgripande förändring. Dess roll som övergripande nationellt system har framhävts av regeringen som tillskjutit medel till både en total modernisering av systemets tekniska lösning och avgiftsfri användning för allmänheten genom Internet. LIBRIS kan därmed erhålla en mer flexibel, öppen datateknisk miljö och enklare gränssnitt mot användarna.

BIBSAM — AVDELNINGEN FÖR NATIONELL SAMORDNING OCH UTVECKLING

I och med att KB som ovan nämnts 1988 övertog samordnings- och planeringsansvaret för den vetenskapliga och tekniska informationsförsörjningen upprättade KB en avdelning för nationell samordning och utveckling, BIBSAM. Dess huvudsakliga målsättning är att de svenska forskningsbibliotekens resurser skall användas och utvecklas på bästa sätt, samt att den enskilde på rimliga villkor skall få tillgång till dessa resurser. Det måste emellertid understrykas att samarbetet med biblioteken helt bygger på frivillighetens grund.

Den kanske viktigaste uppgiften till att börja med blev att utveckla och förvalta det så kallade ansvarsbibliotekssystemet, som bygger på att ett antal centrala forskningsbibliotek mot viss ekonomisk ersättning tar på sig ett nationellt ansvar för informationsförsörjningen till forskning, utveckling och högre utbildning inom olika ämnesområden.

Den snabba informationstekniska utvecklingen ställer höga krav på BIBSAM:s arbete. Digitaliseringen av informations- och kommunikationssystem har inneburit att den informationssökande kan få omedelbar tillgång till ett världsomspännande, "virtuellt" bibliotek. Publiceringsmönstren förändras liksom bibliotekarierollen. BIBSAM får, liksom biblioteken, ägna mycket kraft åt att kartlägga och analysera det moderna informationssamhällets utveckling samt agera och reagera på grundval av detta. Arbetet får mera utgå från informationsanvändarnas behov än från biblioteken som institutioner.

På senare år har det internationella inslaget i verksamheten blivit alltmer framträdande. Nationsgränser förlorar alltmer sin betydelse i biblioteks- och informationspolitiska sammanhang. Bland annat kan nämnas att BIBSAM fungerar som "national focal point" för EU:s så kallade biblioteksprogram, inom vars ramar närmare en halv miljard kronor anslogs till biblioteksutveckling under första hälften av 1990-talet.

På det nationella planet har BIBSAM tagit initiativ till utökad samverkan mellan arkiv, bibliotek och museer samt mellan forsknings- och folkbibliotek. Tanken är att man, inte minst med teknikens hjälp, skall kunna öppna dörrar mellan angränsande, informationsintensiva sektorer i samhället.

Parallellt med den egna verksamheten på hemmaplan, har KB sedan 1980-talet i allt högre grad kommit att involveras i projekt som syftar till utveckling och modernisering av biblioteksverksamhet i det forna Östeuropa och i tredje världen. Särskilda insatser har gjorts och görs fortfarande för biblioteken i Nicaragua och i de baltiska staterna.

Specialläsesalen i det om- och tillbyggda Kungl. biblioteket. Läsesalen är avsedd för studier av handskrifter, kartor, bilder, musiktryck och äldre material. Foto: Åke E:son Lindman.

Rätt snart efter det att arkitekten Carl Hampus Bergmans om- och tillbyggnad av KB slutförts 1971 blev lokalfrågan åter aktuell. Besöks-, utlånings- och förvärvsfrekvensen bara ökade mer än beräkningarna. KB tar emot över 150 000 tryckta alster om året och växer således årligen ca 1 000 hyllmeter. En projektering av en tillbyggnad påbörjades redan under 1970-talet under riksbibliotekarie Lars Tynell. Tidsandan från 1950- och 60-talen hade vänt. Nu önskade man så långt möjligt bevara Gustaf Dahls intentioner. Under tiden hade Riksantikvarieämbetet K-märkt KB:s fasad, läsesal och entréhall. Med riksbibliotekarie Birgit Antonsson kom så sommaren 1993 det av både personal och låntagare efterlängtade KB-bygget igång med arkitekterna Bo Bergquist och Jan Henriksson som huvudansvariga. Den bärande idén för hela om- och tillbyggnaden blev att placera böckerna i underjordiska bokmagasin och personalen i de ledigblivna utrymmena ovan jord. När huset återinvigdes i maj 1997 gick institutionen KB in i en ny era. Tillräckliga utrymmen för såväl besökare, tjänstemän som samlingarna är säkrade för lång tid framåt, och KB kommer att kunna arbeta med utåtriktade och spännande verksamheter som tidigare varit omöjliga.

DET NYA KB

Under åren efter 1980 har det framväxande IT-samhället ställt nya krav på nationalbiblioteket i dess roll som nationens minne och garant för långsiktigt bevarande av publicerat material oavsett medium. Regeringen har under 1990-talet också alltmer kommit att betrakta KB som en strategisk resurs för att genomföra en mera konsekvent bibliotekspolitik. Man har satt biblioteksfrågorna inte bara i relation till forskning och högre utbildning utan överhuvudtaget sökt placera in dem i ett större perspektiv; härvidlag har KB utnyttjats på ett progressivt sätt. Biblioteket har statsmakternas förtroende och kan se framtiden an med tillförsikt.

Bo-Ingemar Darlin, Mayre Lehtilä-Olsson, Tomas Lidman, Kjell Nilsson, Folke Sandgren

Från fornminne till kulturmiljö

Att skydda och vårda kulturarvet i vår byggda och odlade miljö är en viktig nationell angelägenhet. I portalparagrafen till Kulturminneslagen slås fast att ansvaret för detta delas av alla. Kulturarvet utgörs av vad tidigare generationer skapat. Varje tid bildar sin egen uppfattning om det kulturella arvets betydelse och om vilka delar av kulturarvet som är särskilt värdefulla. Synen på kulturarvet påverkas av sådana förhållanden som samhällsutvecklingens tempo och inriktning, idé- och samhällsdebatten och forskningens rön.

Intresset för kulturarvsfrågor har ökat under de senaste decennierna. Den snabba samhällsomdaning som ägt rum i Sverige under detta århundrade och särskilt efter andra världskriget har inneburit stora förändringar i den yttre miljön och i människornas livsvillkor.

Moderniseringen av jord- och skogsbruk har lett till en stark påverkan av kulturlandskapet. Nya industrimiljöer har växt fram, en del av dessa är på väg att försvinna. Stadskärnorna har i många städer omvandlats. Villasamhällen och förorter har växt upp i tätorternas utkanter. Förändringen från bondesamhälle till ett tätortsbaserat senindustriellt samhälle har varit rekordsnabb i Sverige. Urbaniseringen och det omfattande bostadsbyggandet under efterkrigstiden har inneburit att nya miljöer skapats i stor skala, samtidigt som många äldre miljöer försvunnit. Denna förändring av den yttre miljön har lett till ett starkt ökat intresse för bevarande av till exempel äldre byggnader, bostadshus och industrifastigheter, liksom för natur- och landskapsvård.

Synen på vad som skall bevaras, och hur, har skiftat starkt genom historien. Pendeln svänger mellan å ena sidan en ambition att samla och förstå alla slags tecken och lämningar från tidigare generationers liv och å andra sidan det systematiska förtecknandet av mycket avgränsade föremålskategorier. Det äldsta bevarade dokumentet med anvisningar för antikvarierna är från 1630 och ansatsen är ambitiös och allomfattande. Där kan man läsa att de främst skall söka efter runinskrifter, gamla krönikor och dokument, men också uppteckna sagor och sägner och samla mynt och adelsgenealogier. De skulle också göra ekonomiska iakttagelser för kartering och skattläggning. Störst vikt lades vid skriftliga dokument, dit även monument som runstenar fördes. Motsatsen till denna brett upplagda bevarandeideologi kan vi hitta i det arbete som antikvarien Emil Ekhoff utförde på 1880-talet. Han får senare beröm för att han gått så vetenskapligt tillväga: "Undersökningen inskränktes uteslutande till hednatidens fornlämningar med förbigående av kyrkor, folkminnen, uppteckningar av allmogemål och mycket annat som förut belamrat antikvariens arbete och minskat värdet av de olika delarna därav."

I vårt sekel har till exempel de storskaliga förändringarna under sextio- och sjuttiotalet inneburit nya arbetsuppgifter för kulturmiljövården. År 1988 ersattes begreppet kulturminnesvård med den nya termen kulturmiljövård i samband med att lagstiftningen moderniserades. Som skäl för detta angavs bland annat att uttrycket kulturminnesvård lätt associeras till att bara gälla kulturarvets specifikt ålderdomliga delar, och att uttrycket kulturmiljövård skall ses som en sammanfattande

Kulturlandskap i Kullabygden, Skåne. Foto: Bengt A. Lundberg, RAÄ.

benämning för vården av den av människan skapade miljön. I propositionen sägs också att i det kulturmiljövårdande perspektivet bör ansatsen vara att de kulturkvaliteter som alltid finns i den byggda eller odlade miljön bör lyftas fram och tas tillvara som en tillgång för dem som bor, lever och vistas där. Samtidigt slås också fast att synen på vad en god kulturmiljövård skall omfatta måste vidgas. Den "måste utöver bevarandet av enskilda byggnader och fornminnen gälla bevarandet av samlade miljöer".

Detta förutsätter att kulturmiljövården integreras med annan planering. Strävandena att integrera kulturmiljövården i samhällsplaneringen har varit framgångsrika. Kulturhistoriska värden beaktas i dag som en viktig faktor vid utform-

78

ningen av den fysiska miljön och vid förändringar i markanvändningen. I Naturresurslagen har kravet på skydd för kulturminnesvårdens intressen och riksintressanta miljöer lagfästs. Genom Plan- och bygglagen, har kommunerna givits ett uttalat ansvar för en markanvändning och en bebyggelseplanering som tillgodoser de kulturhistoriska intressena. Hänsynen till kulturarvet inom olika samhällsområden visar sig också i beslut som det av riksdagen antagna varsamhetsmålet för bostadsförbättringsprogrammet liksom i reglerna om hänsyn till kulturminnesvården i speciallagstiftningen för jord- och skogsbruket.

MÅLEN FÖR KULTURMILJÖVÅRDEN

Målen för kulturmiljövården angavs 1988 i propositionen kulturmiljövård på följande sätt:

Kulturmiljövården skall bevara och levandegöra kulturarvet. Bevarandemålet i kulturmiljövården får en delvis ny och vidgad innebörd. Det innebär inte att vården av mer traditionellt uppfattade kulturminnen tillmäts en mindre betydelse än hittills. Omsorgen om de värdefulla kulturminnena i form av till exempel byggnadsminnen och fornminnen och strävan att ta tillvara kulturhistoriska värden i sammanhållna miljöer i odlingslandskapet, i tätorter och industribebyggelse utgör fortfarande en kärna i kulturmiljöarbetet. Kulturmiljövården kan dock inte inskränkas till att bara ta tillvara det exklusiva eller specifikt intressanta. Den måste också bidra till att bibe-

---

På Torshammars verkstad i Norberg ser det ut som om jobbarna bara tagit kaffepaus, men verkstaden lades ner redan 1977. Foto Bengt A. Lundberg, RAÄ. (följande uppslag)

!

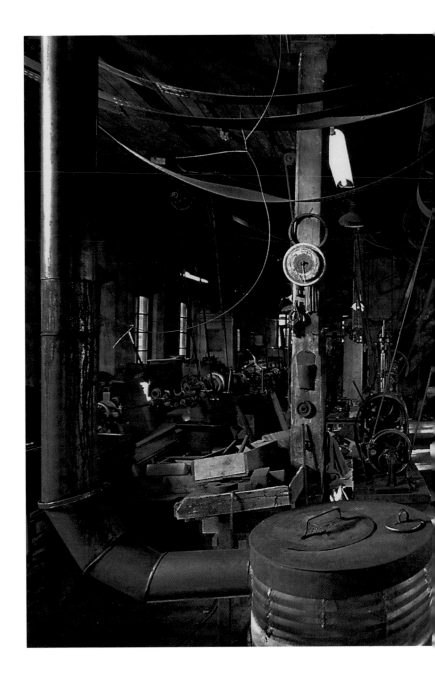

hålla och utveckla en rik vardagsmiljö. Som en följd av den snabba samhällsförändringen har tidsperspektivet förkortats och bevarandemålet blir därför relevant för många miljöer som präglas av vår egen tid.

Kulturmiljövården skall syfta till kontinuitet i utvecklingen av den yttre miljön. Perspektivet i kulturmiljövården måste vara framtidsinriktat. Kulturarvet bör ses som en tillgång i samhällsbygget. Det bör utnyttjas som en grund för nyskapande och förändringar av bebyggelse och anläggningar i landskapet, så att vår egen tids bidrag till gestaltandet av den yttre miljön kan fungera i samklang med och berika det som tidigare generationer skapat. Det är viktigt att resultaten av varje generations arbete och byggande återspeglas i den yttre miljön och kan bilda åskådningsexempel på levnadsvillkor och utvecklingstendenser under tidigare epoker.

Kulturmiljövården skall främja den lokala kulturella identiteten. Den yttre kulturmiljön är viktig för den kulturella identiteten i en bygd eller ett samhälle. Ett mål för kulturmiljövården bör vara att stärka den lokala kulturella identiteten. Det gäller att bevara särpräglade traditioner i byggandet och synliga påminnelser om ortens historia, dess näringar och kulturella arv.

Kulturmiljövården skall möta hoten mot kulturmiljön. En av kulturmiljövårdens viktigaste och svåraste uppgifter är att i god tid uppmärksamma och påtala hoten mot kulturmiljön. Här handlar det ofta om att materiella värden ställs mot immateriella. Sådana konflikter uppstår ofta i samband med industrietableringar, bostadsbyggande, utbyggnad av trafikleder, rationaliseringar inom jord- och skogsbruket och anläggande av affärscentra i tätorterna. Genom att kulturmiljöaspekter uppmärksammas i ett tidigt skede av planeringen och genom ett utvecklat samarbete mellan berörda myndigheter och förvaltningar kan dessa konflikter undvikas eller minskas. *Kulturmiljövården skall bidra till att öka medvetenheten om estetiska värden och historiska sammanhang.* En förutsättning för en framgångsrik kulturmiljövård är att den har stöd i den allmänna opinionen och av den enskilde medborgaren uppfattas som angelägen och meningsfull. Kulturmiljövårdens myndigheter bör därför medverka till att levandegöra kulturarvet och till att öka kunskaperna om skönhets- och kulturhistoriska värden i den byggda och odlade miljön. Ett starkt gehör för kulturmiljövården förutsätter ett lokalt engagemang och en fortlöpande diskussion om verksamhetens innehåll. Folkbildningen, hembygdsföreningen och den lokala miljögruppen kan här fylla en viktig uppgift som kunskapsförmedlare och opinionsbildare.

ETT SEKTORSMÅL FÖR KULTURARVSOMRÅDET

Tankegångarna ovan följs upp och förstärks i 1996 års kulturpolitiska proposition där ett av målen för kulturpolitiken är *att bevara och bruka kulturarvet.* Som sektorsmål för kulturarvsområdet — som omfattar arkiv, bibliotek, museer och kulturmiljövård — anges att de framtida insatserna för kulturarvet bör syfta till att jämna ut de skillnader som finns mellan olika grupper av människor när det gäller bevarandet av och tillgången till kulturarvet, och att stärka intresset för kulturarvet och medvetenheten om dess betydelse för samhället.

Betoningen på medborgarförankring och integrering i samhällsplaneringen är stark. Detta ställer nya krav på att kulturmiljövården ser över sina arbetsmetoder, breddar debatten, ger fler möjlighet att lära sig läsa den skrift som finns i landskap och byggnader med berättelser om hur tidigare generationer levde. Men i uppdraget att bevara och bruka ligger också uppmaningen att använda våra kulturmiljöer och därmed också bidra med spår av vår egen tid. Historien kan inte frysas vid en tidpunkt — vi måste kunna lägga våra årsringar till den byggda och odlade miljön som sammantaget blir det arv vi lämnar vidare till nästa generation, att bevara och bruka.

Som ett led i att sprida kunskaper om kulturmiljövårdens arbetsområden och metoder deltog Riksantikvarieämbetet i arbetet med Sveriges Nationalatlas, som på uppdrag av Sveriges riksdag utgavs i 17 delar under första hälften av 1990-talet. Här återges en förkortad version av denna text med de tillägg och förändringar som utvecklingen under de senaste åren givit anledning till.

Erik Wegræus
Riksantikvarie

Kulturarvet i samhället

I renässansens Europa stod antikens kultur i centrum för den lärda världens intresse. Men i de mera perifera länderna kom också det egna kulturarvet i form av inhemsk fornhistoria, sagostoff med olika ursprung etc. att bli uppmärksammat. Dessa nationella strömningar fanns i Sverige redan på 1400-talet.

Det arkeologiska kulturarvet

Den främste av de tidiga antikvarierna var Johannes Bureus (1568–1652), som inledde Sveriges långa antikvariska tradition. Han ägnade sig främst åt runstenar, men spelade också en viktig roll som lärare åt Gustav II Adolf. 1630 utnämnde kungen Bureus och två kollegor till "rijkzens antiquarij" med uppgift att inventera fornminnen enligt ett kungligt memorial.

Hans kusin Andreas Bureus organiserade det svenska lantmäteriet. I upprepade och detaljerade lantmäteriinstruktioner under 1600-talet fick lantmätarna också i uppdrag att uppmärksamma fornlämningar på sina kartor över byar och gårdar. Att redovisa kulturminnen på kartor har således en lång tradition.

1666 fick landet sin första fornminneslag "Placat och Påbudh om Gamble Monumenter och Antiquiteter". Skyddet omfattade alla fornlämningar på krono- och skattejord, medan adeln förutsattes ta hand om fornminnena på frälse-jorden. Fornlämningsbegreppet var mycket vitt definierat, och förutsättningarna att aktivt tillämpa det var små. Bästa skyddet erbjöd som förr stabiliteten i bondelandskapets bruk och traditioner.

1667 inrättades ett antikvitetskollegium i Uppsala för forskning om "antikviteterna". En förordning om fornfynd utfärdades 1684 med sikte på myntskatter. Kollegiet flyttades snart till Stockholm och gjordes om till ett efterhand passivt "antikvitetsarkiv". Redan under 1600-talet tillkom alltså de grundstenar, som vården av det arkeologiska kulturarvet ännu vilar på: dokumentation, forskning, lagskydd, samverkan med kartproduktionen samt information.

Under 1700-talet var intresset för Nordens forntid ringa, men genom romantiken kring sekelskiftet 1800 vaknade det på nytt. Ett cirkulär utfärdades 1805 om behovet av att bevara fornlämningar vid de aktuella skiftesreformerna. Götiska förbundet och dess tidskrift *Iduna*, där landets skalder gav uttryck för sin beundran för forntida bragder, ökade intresset.

En ny fornminnesförordning utfärdades 1828, vilken dock var alltför vag och kraftlös. Den utkom i ny form 1867 med föreskriften att "alla fasta fornlämningar, bevarande minnet av fäderneslandets inbyggare i forntiden" var skyddade. Det medförde att regler för hur fornlämningar kunde få tas bort måste införas. Vitterhetsakademien fick till uppgift att utfärda sådana tillstånd.

Den vetenskapliga arkeologiska forskningen från 1800-talets mitt medförde efterhand en helt ny syn på fornlämningarnas historiska betydelse istället för den gamla, spekulativt sagohistoriska.

Fornminnesförordningen av 1867 visade sig snart vara otillräcklig, och efterlevnaden lämnade mycket övrigt att önska. Efter flera utredningar antogs en ny lag 1942, som var en av de mest radikala i sin art: alla fornminnen var "ställda under lagens hägn". Varje fornlämning hade rätt till ett skyddsområde. Den som ville "rubba, förändra eller borttaga" en fast fornlämning skulle efter givet tillstånd bekosta en vetenskaplig undersökning. Med denna lag och den 1937 beslutade samverkan mellan en systematisk fornminnesinventering och utgivningen av den ekonomiska kartan med därav följande möjligheter för bevakning och undersökning av fornlämningar lades grunden för den moderna arkeologiska kulturminnesvården. Lagen kompletterades i vissa avseenden 1988, då alla de antikvariska skyddsinstrumenten sammanfördes till en kulturminneslag.

Byggnadskulturen

Redan under 1500-talet fanns ett kungligt intresse av att skydda vissa "historiska" byggnader. På kungsgården Biskops Arnö fanns en inskription: "Then Stormechtige konung Johan den Tridje av thet Namn, Haffuer mig, såsom ock många andra flere förfallne Huss och ödekyrkior upbygt och förbättrat. Anno 1586." Någon byggnadsvård kan man dock inte tala om vid denna tid.

1618 kom en "Kammarordning" om skötsel av kronans egendomar och byggnader. Den första "inventeringen" av landets förnämligare byggnader är Erik Dahlberghs *Suecia Antiqua et Hodierna* (1661–1717), som visserligen ger en idealiserad bild av verkligheten men ändå är ett viktigt dokument för senare tiders kunskap.

Karlskrona grundades 1680 som huvudbas för den svenska flottan. Stadsplanen, som är ritad av Erik Dahlberg, har ibland betecknats som Sveriges enda verkliga barockplan. Karlskrona är nominerat till en plats på Unescos världsarvslista. Foto: Jan Norrman, RAÄ.
(följande uppslag)

Utöver borgar och slott intresserade sig staten för kyrkorna. I 1571 års kyrkolag anförtros de till församlingens ansvar. I 1686 års kyrkolag stadgas att konungen skulle ha tillsyn över församlingarnas skyldighet och godkänna nybyggnad av kyrkor. År 1759 kom ett kungligt brev med föreskrifter för vård och underhåll.

En förordning 1776 utvidgade det administrativa ansvaret för allmänna byggnader. Överintendentsämbetet skulle granska ritningar och kostnadsberäkningar, i praktiken från funktionell och estetisk synpunkt, och sedan skulle kungen godkänna dem. Antikvariska aspekter är inte uttryckta här, men återfinns däremot i 1666 års Placat om gamla monumenter. 1867 års fornminnesförordning krävde tillstånd från Kungl. Maj:t för rivning eller ombyggnad av en äldre kyrka. 1800-talets befolkningsutveckling tillsammans med bristande antikvarisk insikt blev dock inom många områden ödesdiger för de medeltida kyrkorna. En modern syn på de äldre kyrkorna som dokument över hela sin historiska utveckling kom först med 1900-talets restaureringsprinciper. Under hela denna utveckling finns också bestämmelser om de kyrkliga inventarierna, varvid en första inventering omkring 1830 var särskilt betydelsefull.

Någon antikvarisk vård av andra byggnader kan man knappast tala om före 1920 års föreskrifter rörande det offentliga byggnadsväsendet. Nu först kunde en statlig byggnad lagskyddas, om den var av särskilt konstnärligt eller kulturhistoriskt värde. Genom en lag 1942 kunde även kulturhistoriskt märkliga byggnader, som ägdes av annan än staten, bli skyddade som byggnadsminnen. En modernisering av lagen genomfördes 1960, och i denna form återfinns den i stort sett i 1988 års kulturminneslag.

Miljöaspekterna

"Naturmiljön" blev föremål för samhällets omtanke omkring sekelskiftet 1900, vilket tog sig uttryck i de första naturskyddslagarna och nationalparkerna. Det skulle däremot dröja länge innan tanken att även "kulturmiljön" skulle behöva ett lagskydd blev allmänt accepterad.

Med *kulturmiljö* avses kulturbetingade element och egenskaper i ett av människan påverkat och utnyttjat landskap. I dessa landskap och miljöer ingår anläggningar, som skyddas enligt kulturminnesvårdens speciallagstiftning, främst fornlämningar och byggnader. Men en skyddsvärd kulturmiljö behöver inte innehålla märkliga anläggningar av denna art. Viktigt kan istället vara att den innehåller många alldagliga och typiska sådana, ger goda exempel på humanekologiska förhållanden, ålderdomliga brukningsformer, typiska kulturella "tidsbilder" eller kontinuerliga, kronologiska sekvenser. Ett väsentligt värde i kulturlandskapet är också ortnamnen. Det är *helheten* i miljön som karakteriserar dess värde.

I skyddet av fornlämningar och byggnadsminnen ingår från 1942 ett visst skydd av närmiljön. Då emotsåg man knappast mera genomgripande förändringar av kulturmiljön — åkermarken förväntades till exempel bestå för framtiden. Med efterkrigstidens expansiva samhällsutveckling uppstod ett behov för bevarandeintressena att delta i planeringen även i mera storskalig och preventiv form än lagstiftningen om kulturminnena medgav.

Den antikvariska metodiken för att arbeta med kulturmiljöns helheter initierades med den fysiska riksplaneringen. Genombrottet för det nya synsättet kom med 1972 års proposition om hushållning med mark och vatten. Där ingick även kulturminnesvårdens intresseredovisning av kulturmiljöer, som senare följdes upp i kommunal och regional planering.

I samband med den nya kulturminneslagen diskuterades om kulturminnesvården var i behov av ett eget reservatsinstitut för att säkra kulturmiljön. Valet blev istället att den skall beaktas i den allmänna planeringen, i första hand genom 1987 års naturresurslag, som tillsammans med Plan- och bygglagen är styrande för samhällets planering och utveckling av landskapet. Kulturminneslagen värnar om kulturmiljövårdens kärna — de lagskyddade objekten och deras närmiljö, planlagstiftningen om de övergripande kulturmiljöintressena.

Den moderna organisationen
Kommunerna är i dag den grundläggande instansen för kulturmiljövård. Där finns de ekonomiska resurserna och huvudansvaret för samhällsplaneringen. Flera kommuner har också egen sakkunskap i form av kommunala museer eller kommunantikvarier. För kyrkorna ligger ansvaret hos församlingarna.

Huvudansvaret för den legala tillsynen av kulturmiljöfrågorna ligger hos länsstyrelserna, som beslutar i de flesta ärenden enligt kulturminneslagen. Deras interna organisation varierar, men där finns experter på olika samhällsområden, vilket ger dem möjligheter till sammanvägning av olika intressen. En ovanlig konstruktion är det icke formaliserade medansvar i fråga om kulturmiljön och kulturminnena som åvilar länsmuseerna. De mottar ett visst statligt stöd till sin verksamhet för att biträda länsstyrelserna i kulturmiljövården.

Den övergripande tillsynen av kulturmiljövården utövas av Riksantikvarieämbetet, RAÄ, som också har att samarbeta med andra centrala myndigheter och verk, svara för utvecklingsarbeten och bevaka sektorns intressen i stort.

De viktigaste förutsättningarna för att skydd och vård av fornlämningar skall bli möjlig och meningsfull är dels att antikvariska myndigheter har god kunskap om fornminnena, dels att allmänheten kan få del av denna.

Tidigare uppteckningar

Tre veckor efter utfärdande av vår första fornminneslag 1666 kom ett kungligt brev till prästerskapet om att "... flijtigt och granneligen efftersökia och vpspana alla Antiquiteter ...". Dessa "Ransakningar om antiquiteterna", som utfördes 1667–93 av prästerna och kronobetjäningen, är delvis bevarade. De redovisar en mindre del av de nu kända fornlämningarna men är ändå av stort värde.

Många uppteckningar genomfördes under 1800-talet. Särskilt värdefulla är de som bedrevs från 1840-talet av Vitterhetsakademiens stipendiater och regionala fornminnesföreningar, då de omfattar större områden. Den första redovisningen av fornlämningar på allmänna kartor gjordes samtidigt av Sveriges geologiska undersökning. Den dittills mest fullständiga inventeringen utfördes i västra Sverige decennierna kring 1900.

Fornminnesinventeringen

Riksantikvarieämbetet påbörjade mera noggranna inventeringar under 1920-talet. Riksdagen beslöt 1937 att fasta fornlämningar skulle införas på Ekonomisk karta över Sverige, som börjat utges i större skala på flygfotografiskt underlag. Med begränsade resurser bedrevs den första inventeringen fram till 1977 och omfattade då hela landet utom fjällen, där ingen ekonomisk karta utges. Med kunskap och erfarenhet från den första omgången som bakgrund pågår från 1974 en nyinventering för att tillgodose den successiva utvecklingen av fornlämningsbegreppet och för att täta tidigare kunskapsluckor. Praktiskt består arbetet av en systematisk avsökning av terrängen med hänsyn till tidigare uppteckningar och topografiska förutsättningar samt av registrering och beskrivning av de påträffade fornlämningarna. Fältarbetsledare svarar för antikvarisk bedömning och avisering av fornlämningar till tryckning på ekonomiska kartan och till lagring i kartdatabasen, som efterhand blir alltmera betydelsefull. Fältinventeringsböcker och fältfotokartor samt en tryckt karta för ajourhållning arkiveras i fornminnesregistret, och kopior levereras till den regionala kulturminnesvården.

Fornminnesregistret
Registreringen av fornlämningslokalerna sker i nummerföljd för varje socken. En lokal kan bestå av en enstaka fornlämning, av en mindre grupp sådana eller av ett flertal, redovisade inom en gemensam begränsningslinje, till exempel ett gravfält, ett fångstgropssystem, en avhyst bytomt eller ett hyttområde. Varje lokal är markerad med den traditionella fornlämningssymbolen — ett run-R — på kartan, ibland kombinerad med upplysningstext eller namn. Alla lokaler aviseras också till fastighetsregistret, där de kan identifieras genom koordinater. Ett urval av de bäst synliga och mest intressanta fornlämningarna markeras också på den topografiska kartan.

Fornminnesregistret innehåller nu ca 700 000 enskilda fornlämningar, belägna på närmare 150 000 lokaler. Ett dussin kommuner har över 2 000 fornlämningslokaler vardera. De har alla stor yta och består av gammal kulturbygd, dominerad av förhistoriska fornlämningar.

Hällristningarna är viktiga dokument för kunskapen om kultur och samhälle under bronsåldern. Den praktfulla ristningen i Fossum i Tanums socken, Bohuslän, domineras av mansfigurer och skeppsbilder. Ristningarna i Tanum upptogs på Unescos världsarvslista 1994. Foto: Bengt A. Lundberg, RAÄ.

Den talrikaste fornlämningskategorien är de förhistoriska gravarna, som dominerar i de gamla kulturbygderna. Forntida boplatser kan stå för stora andelar, till exempel i bohuskommunerna och norrländska inlandskommuner. Mera lokal dominans har till exempel hällristningar i Enköping och Tanum. Fångstgropar ger höga värden i kommuner som

Krokom och Strömsund. Den historiska tidens fornlämningar är inte lika talrika, till exempel borg- och kyrkoruiner, bytomter, vägmärken och järnframställningsplatser. De bidrar dock till att ingen svensk kommun helt saknar fornlämningar.

Ett register av denna art kan aldrig bli fullständigt, och kartbilden avslöjar två allvarliga felkällor. Den ena gäller de stora lappmarkskommunerna. De är endast delvis inventerade, vilket medfört underrepresentation för fornlämningar från fångst- och nomadkulturerna. Den andra felkällan syns främst i Götalands fullåkersbygder. Där har fornlämningar odlats bort under hundratals år. Många är för alltid försvunna, medan andra kan ligga som nedplöjda rester under mark.

ARKEOLOGISKA UNDERSÖKNINGAR I FÄLT

I Sverige har arkeologiska undersökningar utförts med vetenskaplig målsättning sedan slutet av 1800-talet. Fram till 1930-talet var arkeologin inriktad på undersökning av utvalda monument för att erhålla ett bestånd av fornsaker för forskning och museala ändamål. Vetenskapen har senare vidgat sitt perspektiv, bland annat till att innefatta studiet av kulturmiljöer ur både sociala och humanekologiska aspekter — "människan i landskapet".

I samband med markexploatering har från 1940-talet olika typer av fornlämningar undersökts, såsom norrländska stenåldersboplatser, mellansvenska järnåldersgravfält, sydsvenska boplatser i fullåkersbygd och medeltida stadskärnor. Många undersökningar har föranletts av exploatering av mark för modern förortsbebyggelse, tidigare även för vattenkraftsutbyggnad. Sedan 1970-talet utförs allt fler storskaliga undersökningar på landsbygden, betingade av behovet av modernisering och utbyggnad av landets kommunikationsnät.

Med varje arkeologisk utgrävning är ett specifikt ansvar förknippat, eftersom den oåterkalleligt samtidigt avlägsnar källmaterialet. Vid utgrävningen skall man dokumentera de borttagna fornlämningarnas innehåll av kulturhistoriskt relevanta fakta. Dokumentationen ersätter därefter fornlämningen och skall kunna ligga till grund för framtida forskning. Behovet av fullständighet, noggrannhet och objektivitet är stort, likaså behovet av att kunna värdera och prioritera arkeologiska data.

Källor

Det arkeologiska källmaterialet består av två delar. Den ena är artefakterna, människans egna materiella produkter; den andra är ekofakterna, spåren i naturen av mänsklig verksamhet. De förra består dels av fornlämningar i landskapet och dels av föremål, "fornsaker". Ekofakterna består till exempel av pollen, fosfathalt i jorden och radioaktivt kol. Spännvidden mellan mikro- och makroperspektiven blir därför ofta stor vid en arkeologisk undersökning.

Man blir därför också beroende av flera andra vetenskaper såsom osteologi för benanalyser, pollenanalyser och kvartärgeologi för landskapsstudier, ortnamnsforskning och kulturgeografi. Statistik är viktigt för kvantitativa analyser av stora datamängder. Den laborativa arkeologins metoder ger fördjupad kunskap om råmaterial och tillverkningsprocesser men också om sentida nedbrytning, till exempel på grund av luftföroreningar.

Dokumentation

I det praktiska fältarbetet kombineras arbete med grävmaskin med fingrävning för hand, manuell ritning och fotografering med digitala system för mätning och registrering.

Tidsfaktorn är viktig i studiet av den förhistoriska utvecklingen. En betydelsefull grund för kronologin utgör bildningen av kulturlager, stratigrafin, som kan uppstå genom att olika verksamheter följt på varandra inom en bosättning. Att husen inom en gårdstomt med tiden får nya lägen eller att nya gravar successivt anläggs på ett gravfält gör det också möjligt att studera en kronologisk utveckling. Undersökningen dokumenteras därför såväl horisontellt i planritningar som vertikalt i sektioner. Vid bearbetningen kan man sedan urskilja så kallade kronologiska horisonter, bildade av den information som hör till samma tidsskede.

Varje utgrävning resulterar i en arkeologisk rapport, bestående av text, ritningar, fotografier, fyndlistor m. m. Den åtföljer fynden till konservering och museal registrering, varefter den arkiveras för kommande forskning.

FORNVÅRD

Kulturminneslagens syfte att landets fornminnen skall skyddas och bevaras för framtiden är också fornvårdens viktigaste mål. Den skall också pedagogiskt och allsidigt spegla landets och regionernas äldre utveckling. Information om fornlämningarna blir därför viktig, till exempel genom upplysningsskyltar, foldrar, broschyrer och utställningar.

Motivering

I det gamla bondelandskapet var all icke odlad inägomark utnyttjad för slåtter och bete, och i regel var även skogen betad. I "mulens och liens landskap" blev fornlämningsvård en följd av markens hävd. Det är ofta omtalat hur väl fornminnena syntes i det öppna landskapet.

Birka. Det största gravfältet på Björkö kallas Hemlanden och består av ca 1 600 högar från 900-talet. Genom bete hålls landskapet öppet och gravhögarna blir tydliga. Foto: Bengt A. Lundberg, RAÄ.

Enligt fornkvädet Ynglingatal kremerades och höglades de tre kungarna Aun, Egil och Adils i de tre högarna vid den medeltida sockenkyrkan i Gamla Uppsala. Foto: Jörgen Runeby, RAÄ.

Kring sekelskiftet växte en romantisk naturuppfattning fram. Idealet var en självvuxen natur, och marker som lämnades utan hävd ansågs kunna behålla eller återgå till ett sådant tillstånd. Åsikten drevs även av den framväxande naturskyddsrörelsen. Man fridlyste till exempel ängar och hagar för att de utan skötsel skulle få utveckla sin blomsterprakt. Man kunde också förorda trädplantering vid fornlämningar, gärna med gran som var en av naturromantikens symboler.

Ett drabbat område blev Björkö i Mälaren. Delar av ön inköptes av kronan 1912, och inte bara avverkning utan också bete och markvård förbjöds. Fornlämningsområdena på ön växte naturligt igen till en tät och snårig skog. Detta tillstånd blev ett viktigt incitament för den moderna fornvården.

Gammal väg i Lärbro socken, Gotland. Foto: Jörgen Runeby, RAÄ.

Ett annat motiv av helt annan omfattning lämnas av jordbrukets omvandling och utveckling. Nedläggning och sammanslagning av brukningsenheter med rationalisering och mekanisering av brukningsmetoderna, kreaturslös drift och minskat naturbete i allmänhet med omfattande skogsplantering av hagmarker som följd, slutligt upphörande med ängsslåtter och omarrondering av åkermark med borttagande av odlingshinder — allt är exempel på en utveckling med oundvikliga följder för äldre kulturmarker med fornlämningar. De växer igen snabbt — i inledningsskedet ofta med ogenomträngliga snår av slån och nypon eller med lövsly, efterhand med risig blandskog. Fornlämningarna skadas både direkt av vegetationen och indirekt genom att de blir svåra att se. En meningsfull upplevelse av dem försvåras eller blir helt omöjlig.

Framväxt och metod

I början av 1930-talet påbörjades fornvård i mera modern mening, dvs. med manuella och traditionella skötselåtgärder för att skydda fornlämningarna, göra dem tillgängliga, synliga och möjliga att förstå. Man tog först itu med nationalmonument som Uppsala högar och inte minst Björkö. Man insåg också att det behövdes en kontinuerlig skötsel, och metoder för detta utarbetades i takt med fornvårdens utbyggnad.

Vård av fornlämningar i större omfattning etablerades efter andra världskriget, då man blivit medveten om jordbrukets förändring. Vid denna tid var ännu många förhistoriska fornlämningar välbevarade och väl synliga. En viktig metod blev därför att genom bidrag punktvis försöka upprätthålla en traditionell betesdrift.

Fram till 1960-talets mitt var fornvården inriktad på att med manuella metoder bevara eller återskapa vårdområdenas ängs- eller hagmarkskaraktär, eftersom många fornlämningar legat i mark med skonsam hävd. När verksamheten fick ett kraftigt uppsving på 1970-talet, togs maskiner alltmera i bruk. Man insåg också att äldre kulturlandskap inte kan återställas, endast efterliknas. Efterhand har hänsyn till olika områdens specifika flora och fauna kommit att spela en större roll, och ett samarbete med naturvården har byggts upp. Fornlämningar som länge eller alltid legat i skogsmark skall också vårdas i sådan miljö.

Urvalet av vårdobjekt omfattade fram till mitten av 1970-talet nästan enbart förhistoriska fornlämningar som gravfält och fornborgar. En vidare helhetssyn på kulturmiljön har numera lett till ett mera representativt urval, som omfattar också boplatser, märkliga färdvägar, industriminnen etc.

Runstenen står vid en gammal väg i Nävelsjö socken i Småland.
Texten lyder:"Gunnkel satte denna sten efter Gunnar, sin fader, Rodes
son. Helge lade honom, sin broder, i stenkista i Bath". Stenen är rest
till minne av en man som avled under erövringen av England 1013–15.
Foto: Bengt A. Lundberg, RAÄ.

Organisation

Fornvården har inneburit samarbete mellan många olika parter. Varje län har ett regionalt fornvårdsprogram, där urvalet av objekt sker med hänsyn till representativitet, tillgänglighet, aktuell hotbild etc. För varje objekt finns en skötselplan. Genomförandet sker på länsstyrelsens uppdrag. Ett ökande samarbete sker med kommunerna, som i vissa fall tar ansvar för såväl finansiering som genomförande.

FORNLÄMNINGSOMRÅDE

Till varje fornlämning hör enligt lagen ett skyddsområde på marken omkring anläggningen. Fornlämningsområdet skall vara så stort som behövs för att bevara fornlämningen och ge den tillräckligt utrymme. Syftet är att skydda det område som behövs för att förstå fornlämningens art och betydelse och dess samband med de naturliga förutsättningarna. Avgränsningen bör vara sådan att man kan få en uppfattning om varför man i forna tider valt just den aktuella platsen. Vid bedömning av områdets storlek skall man ta hänsyn till topografin och andra lokala förhållanden, till exempel råvarutillgång, markanvändning, relikter av ursprunglig vegetation och funktionellt samband med andra fornlämningar.

En runsten som står på ursprunglig plats har till exempel ofta samband med en forntida vägsträckning. Den kan ha rests vid ett vad eller för att manifestera ett brobygge. I dag kan den forna sankmarken ha dikats ut och utgöras av åkermark. För att bevara runstenen och rester av vägbankar eller hålvägar på ett meningsfullt sätt är det viktigt, att de spår av den ursprungliga topografin som också kan finnas kvar bevaras. Först därigenom blir det möjligt att förstå runstenens funktion och betydelse.

Varje fornlämningstyp har i regel sitt speciella samband med andra fornlämningar och med naturmiljön. Fornborgar anlades där de naturgivna förutsättningarna var optimala för försvar, varför hela det strategiska systemet skall ingå i fornlämningsområdet. Södra Sveriges monumentala bronsåldershögar är beroende av det öppna landskapet med fria siktlinjer, då de byggts i krönlägen för att förstärka monumentaliteten och synas långväga. Något liknande gäller för kusternas rösestråk, som anknyter till farleder och kan markera revir i anslutning till dessa. Norrländska fångstgropar grävdes där terrängförhållandena lockade eller tvingade djuren att passera. Uddar, åskrön, pass mellan berg och myrar eller längs älvstränder är exempel på sådana fångstplatser, där hela passen bör ingå i fornlämningsområdet.

SKYDDET FÖR KYRKORNA

Omkring 3 700 kyrkobyggnader tillhör Svenska kyrkans församlingar. Av dessa är alla de som byggts före 1940 skyddade enligt Kulturminneslagen. I lagen heter det att kyrkobyggnader och kyrkotomter skall vårdas och underhållas så att deras kulturhistoriska värde inte minskar och så att deras utseende och karaktär inte förvanskas. Ombyggnader och yttre eller inre förändringar skall godkännas av länsstyrelsen. För kyrkor som uppförts efter 1940 kan Riksantikvarieämbetet införa motsvarande skydd. Det gäller nu ca 90 kyrkor av de omkring 600, som är byggda efter denna tidpunkt. Lagskyddet omfattar även kyrkotomter, som inte utan tillstånd får förändras. Man får inte heller utan tillstånd riva, ändra eller uppföra byggnader eller andra anordningar. Om kyrkotomten fungerar som begravningsplats — vilket ju är det normala vid flertalet äldre kyrkor — svarar länsstyrelsen för denna tillsyn.

Enångers medeltida kyrka i Hälsingland. Kyrkan som byggdes vid mitten av 1400-talet är prydd med välbevarade kalkmålningar. Foto: Gabriel Hildebrand, RAÄ.

I de svenska kyrkorna finns ett stort och värdefullt bestånd av inventarier, som också skyddas av Kulturminneslagen. Det gäller altarskåp och altartavlor, krucifix, träskulptur, dopfuntar, ljuskronor och ljusstakar, epitafier och vapensköldar, votivskepp, kyrkklockor, textilier av olika slag och alla andra typer av föremål som har anskaffats eller skänkts till kyrkan för att fungera i dess gudstjänst, till kyrkans prydnad eller för dess praktiska skötsel. Det gäller således även enkla bruksföremål. Till kyrkliga inventarier räknas också äldre gravvårdar, även sådana som finns på kyrkogården. För inventarierna gäller inte tidsgränsen 1940; i en modern kyrka som inte är lagskyddad kan därför finnas såväl äldre som nya inventarier som är skyddade.

Inventarierna skall förvaras och vårdas väl. I varje församling skall finnas en förteckning över inventarier av kulturhistoriskt värde. Ansvaret för förteckningen och vården vilar på kyrkoherden och en kyrkvärd. Om en församling vill avyttra ett föremål eller avföra det ur förteckningen krävs tillstånd; detsamma gäller för reparation eller ändring av ett föremål eller om man vill flytta det. Länsstyrelsen och Riksantikvarieämbetet har rätt att besiktiga kyrkliga inventarier och länsstyrelsen får besluta att de skall införas i förteckningen.

Lagens syfte är att ge ett starkt skydd åt de stora kulturhistoriska värden, som kyrkorna och de kyrkliga inventarierna representerar. De är ett nationellt kulturarv, som speglar närmare 900 år av samhällsutveckling, av andligt liv och religiös verksamhet samt av konstnärligt skapande. De svenska kyrkorna har ett oskattbart konst- och kulturhistoriskt värde även ur ett internationellt perspektiv.

Det primära ansvaret för vården av kyrkorna och de kyrkliga inventarierna ligger hos församlingarna. När det blir fråga om åtgärder på byggnaden, dess inredning och inventarier som kräver tillstånd, skall församlingen upprätta ett förslag, som sänds till länsstyrelsen för granskning. Oftast sker detta i samråd med länsmuseet, som också brukar svara för kulturhistorisk medverkan, kontroll och dokumentation vid arbetena. Det kan också bli fråga om vetenskapliga undersökningar, till exempel då man vid omputsning blottar gammalt murverk eller målningar. Vid arbeten under mark — även under kyrkans golv — gäller bestämmelserna om fornminnen. För vissa arbeten krävs medverkan av specialister på exempelvis medeltida muralmåleri, textilier, orglar etc., och ofta gäller det dyrbara konserverings- och restaureringsarbeten.

Stucktaket på Mälsåker byggs upp igen. Högt under taket läggs ett jättelikt pussel av ca 20 000 bitar från det nedfallna taket. Slottet som uppfördes 1672–80 av Nicodemus Tessin d.ä. är sedan några år platsen för ett stort restaureringsprojekt. Foto: Bengt A. Lundberg, RAÄ.

BYGGNADSMINNEN

De flesta byggnader har givetvis i någon mening ett kulturhistoriskt värde — till exempel för dem som uppfört dem eller bott där eller har andra minnen knutna till dem. Bestämmelserna till skydd för profana byggnader är emellertid till skillnad från det generella skyddet för fornminnen och kyrkor utpräglat selektiva. Det beror främst på att byggnadsbeståndet till skillnad från fornlämningarna ständigt förnyas, förmeras och förändras, men också den stora spännvidden i former, funktioner och utförande har stor betydelse.

Om man bortser från de traditionella monumentalbyggnaderna, gäller för den stora mängden av alldagliga byggnader att motiven för urval och lagskydd måste formuleras tydligt.

Ett vanligt urvalskriterium är det byggnadshistoriska värdet, ofta förknippat med hög ålder och sällsynthet. Vanligen kräver man också att byggnaderna skall kunna representera något mera än sig själva — de skall vara typiska för sin tid och ort, vilket i regel också betyder att de måste vara tämligen ursprungliga och helst även välhållna. Redan dessa enkla faktorer begränsar urvalet.

Mellan de arkitektoniska monumenten och de alldagliga husen finns således ett vitt spektrum från det unika till det representativa och från det ursprungliga till det successivt förändrade. Dessutom har sociala, estetiska, funktionella och tekniska värdeskalor stor betydelse, liksom personhistoriska faktorer, såväl beträffande byggherrar och arkitekter som ägare och brukare. Slutligen ingår flertalet hus i en ensemble av något slag, vars ursprung, utformning och skick också påverkar det kulturhistoriska värdet.

Av landets totala bestånd av bebyggda fastigheter beräknas i dag grovt mellan fem och sex procent vara av kulturhistoriskt intresse i mera begränsad mening. Det kan tyckas vara en ringa andel, men den motsvarar sannolikt ändå omkring 150 000 fastigheter, vilket kan ge en uppfattning om värderingarnas storleks- och svårighetsgrad. Hur många av dessa som skulle kunna komma ifråga som byggnadsminnen är också svårt att bedöma, då heltäckande inventeringar saknas. En preliminär uppskattning synes dock ge vid handen att mellan 4 000 och 5 000 objekt uppfyller de kulturhistoriska kraven för en byggnadsminnesförklaring.

Lagstiftning
Europeisk lagstiftning till skydd för byggnader har sin utgångspunkt i den franska lagstiftningen på detta område. I

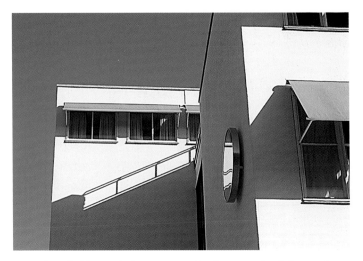

Sveaplans flickläroverk, byggt 1936. Arkitekterna Nils Ahrboms och Helge Zimdals byggnad präglas av den tidens idévärld: ljus, luft, formsäkerhet och omsorg. Skolan är numera byggnadsminne. Foto: Jörgen Runeby, RAÄ.

1660-talets antikvitetsplakat fanns uttryck för antikvariskt intresse för nationella monumentalbyggnader. Under 1700- och 1800-talen utvecklades institutioner och förordningar ytterligare, men de gällde samma kategorier av byggnader.

Genom 1920 års "Kungl. Kungörelse med föreskrifter rörande det offentliga byggnadsväsendet" gavs ett begränsat antal byggnader i statlig ägo — i huvudsak av monumental karaktär — ett varaktigt skydd. Dessa byggnader och anläggningar var högst skiftande till karaktären. Det rörde sig om allt från Stockholms slott och Kungliga Operan till fyrtorn och militära förrådsbyggnader.

Inte förrän 1942 erhöll Sverige en lag till skydd för kulturhistoriskt märkliga byggnader i enskild eller kommunal ägo.

Denna lag krävde medgivande från fastighetsägaren för att en byggnadsminnesförklaring skulle kunna genomföras.

Efter utredning kom en ny lag om byggnadsminnen, som började tillämpas 1961. För att en byggnad eller anläggning skulle kunna skyddas krävdes, att den skulle vara "synnerligen märklig". Nu kunde man dock genomföra en byggnadsminnesförklaring även mot ägarens vilja, men detta kunde i vissa fall berättiga denne till ersättning från staten.

I den nuvarande Kulturminneslagen från 1988 regleras skyddet för de mest värdefulla byggnaderna i enskild och kommunal ägo. Samtidigt ersattes 1920 års kungörelse om statliga byggnadsminnen med en ny förordning, och de båda författningarna fick samma kvalifikationsgrunder.

Tillämpning
För att kunna förklaras som byggnadsminne skall en byggnad vara "synnerligen märklig genom sitt kulturhistoriska värde" eller ingå i "ett kulturhistoriskt synnerligen märkligt bebyggelseområde". Värderingen "synnerligen märklig" kvarstår alltså från den äldre lagen men har varit föremål för diskussion. Även parker, trädgårdar, broar och andra anläggningar kan byggnadsminnesförklaras. Beslut om byggnadsminnen i enskild eller kommunal ägo fattas av länsstyrelsen, och "var och en" kan hos länsstyrelsen väcka fråga om byggnadsminnesförklaring av en viss byggnad eller anläggning. Beslut om byggnadsminnen i statlig ägo fattas av regeringen på förslag av Riksantikvarieämbetet.

För varje byggnadsminne utformas i samråd med ägaren respektive den förvaltande myndigheten särskilda skyddsföreskrifter. De kan gälla en enstaka byggnad eller en grupp byggnader. Skyddet kan avse hela byggnaden eller delar av den,

Falu Koppargruva omtalas första gången 1288. Dess äldsta privilegier daterar sig från 1347 och utan avbrott har den bearbetats i 650 år. Industrilandskapet runt gruvan innehåller byggnader från flera tidsperioder. Bilden visar Creutz lave. Foto: Bengt A. Lundberg, RAÄ.

såsom exteriören, planlösningen och den fasta inredningen. Även ett omgivande markområde kan ingå.

Byggnadsminnena skall spegla olika tiders bostads- och arbetsförhållanden, samhällsskick, sociala villkor, teknik, byggnadsskick, estetiska uppfattningar etc., och urvalet skall göras med såväl hela riket som de regionala särdragen som utgångspunkt.

Vid slutet av 1997 hade inemot 1 550 byggnadsobjekt och anläggningar i enskild eller kommunal ägo förklarats som byggnadsminnen. De innefattar ett brett spektrum: slott och herrgårdar; byar, bondgårdar och torp; prästgårdar och kyrkstäder; borgar-, handels- och hantverksgårdar; bruk, hyttor, kvarnar och andra industriminnen jämte arbetarbostäder; fiskelägen; rådhus; skolor och många andra kategorier.

Antalet statliga byggnadsminnen är omkring 350, men många omfattar ett flertal byggnader. Bland dessa återfinns de kungliga slotten och Vasaslotten, före detta adelspalats, fästningar, borgar, kungsgårdar, residens, domstolsbyggnader, universitetsbyggnader och många andra typer av byggnader.

BIDRAG TILL BYGGNADSVÅRD

Statliga bidrag till vård och underhåll av kulturhistoriskt värdefull bebyggelse är en relativt sen företeelse. Mindre bidrag kunde under 1800-talets senare del lämnas efter särskilda riksdagsbeslut. Från 1880 upptogs i riksstaten ett ordinarie anslag för "Visby ruiners vård och underhåll". Som följd av 1942 års byggnadsminneslag ändrades anslaget vid mitten av 1940-talet till att gälla byggnadsvård i hela landet. Det uppgick då till 30 000 kronor. Tillskott från donerade fonder hade också betydelse. Även om statsanslaget ökades efterhand för att motsvara penningvärdets fall, konstaterade en särskild utredning 1979 att det var helt otillräckligt och föreslog en kraftig ökning för att lösa de mest akuta problemen. Anslaget har därefter vuxit successivt, och budgetåret 1998 fördelades nära 240 miljoner kronor i bidrag till vård och underhåll.

BYGGNADSINVENTERINGAR

Konst- och arkitekturhistoriker har sedan länge ägnat stor omsorg åt att dokumentera slott, herrgårdar och kyrkobyggnader. Det har ofta skett genom så grundlig dokumentation som möjligt av utvalda monumentalbyggnader. Ofta har arbetet resulterat i en monografi. Först på senare tid har mera översiktliga kategoriinventeringar av till exempel olika typer av kyrkor förekommit.

På 1910-talet ledde det nyvaknade intresset för den äldre allmogekulturen till att bebyggelseundersökningar kom till stånd på landsbygden. Intresset var då i första hand inriktat på reliktområden med ålderdomlig bebyggelsestruktur och på byggnader från 1700-talet och tidigare. Även denna dokumentation var relativt utförlig av de valda objekten, men även översiktliga kategoriinventeringar av till exempel olika typer av timmerbyggnader förekom. Också i städerna utfördes vissa inventeringar av äldre bebyggelse vid denna tid.

Först på 1960-talet påbörjades mera systematiska och generella inventeringar av profan bebyggelse. Arbetet med den fysiska riksplaneringen i början av 1970-talet avslöjade ett stort, uppdämt behov i dessa avseenden. Byggnadsinventeringar kom därför att bli ett nödvändigt instrument i dess uppföljning med kommunala och regionala kulturminnesvårdsprogram. Från kommunernas sida finns också ett direkt intresse av information om bebyggelsen, både översiktligt för mera övergripande planering och mera detaljerat för hantering av byggnadslov och detaljplaner. De tidigare inventeringarna hade ofta främst ett vetenskapligt syfte, medan flertalet av dem som genomförs i dag är relaterade till samhällsplaneringen på ett eller annat sätt. Inventeringarna publiceras ofta som en rapport med text, kartor och fotografier.

ATT PLANERA MED KUNSKAP

Långt in på 1900-talet har det varit rimligt att uppfatta Sverige som ett agrarsamhälle i långsam förvandling. I denna någorlunda stabila omgivning knöts samhällets kulturminnesvårdande intressen till de enskilda objekt, vars värden kunde återföras på en lång legitim tradition eller byggde på dominerande värderingar av social eller estetisk karaktär.

När övergången till ett urbaniserat samhälle efter seklets mitt blev en realitet för en allt större majoritet, blev det uppenbart att den fysiska miljön inte är någon stabil bakgrund till utvecklingen utan en dynamisk del av denna. Mot denna bakgrund vidgades perspektiven för kulturminnesvården på flera sätt. Dels började man uppfatta de skyddsvärda objekten som delar av den kulturella miljö, i vilken de egentligen alltid ingått, och kunde också konstatera att sådana värdefulla kulturmiljöer fanns även utan att de enskilda objekten i traditionell mening var särskilt framträdande. Dels vaknade efterhand också medvetandet om att hela landskapet måste ses som ett kulturarv, för vars förvaltning alla delar ansvaret.

Samhällets kulturvårdande strävanden har därmed tillförts två nya dimensioner: kulturmiljövård som omsorg om *kulturmiljöns* organiskt framvuxna *helheter* och kulturmiljövård som sammanfattande beteckning på den *förvaltarskapets ideologi,* som bör prägla hanteringen och som innefattar alla verksamheter i detta syfte. I detta sammanhang har den mera

Sallohaure i Padjelanta nationalpark. Lapplands världsarv är Europas största sammanhängande naturlandskap. Foto: Jan Norrman, RAÄ.

konkreta, första aspekten främst varit i blickpunkten, men den senare är avgörande för hur kulturmiljövården kan samverka med samhällets utveckling i övrigt.

Planering som redskap
Omsorgen om miljöns kulturvärden måste ingå i alla beslut om förändringar av den fysiska miljön. Kulturmiljövården har därför integrerats i den fysiska planeringen. Denna är ett system för att förbereda sådana beslut om mark och bebyggelse som berör många parter och som därför behöver samordnas. Planeringen skall fånga upp kunskap om den yttre miljön och om behov och intressen av att förändra den, så att samordning och avvägning mellan olika intressen kan ske i öppna, demokratiska former. Miljöns kulturvärden är en resurs, som behöver tillvaratas lika aktivt som förändringar och nytillskott i miljön behandlas.

Kunskap om miljöns kulturvärden måste på ett effektivt sätt tillföras underlaget för kommunernas planering för att kulturmiljöintressena skall beaktas vid denna. Detta behov har stimulerat framväxten av kulturmiljöprogram.

Dessa program sammanfattar för en kommun eller för ett län den kunskap om kulturmiljöer, som tagits fram genom inventeringar, lokalhistorisk forskning, undersökningar m. m. De inleds vanligen med en kronologisk översikt över kulturhistorien och spåren i landskapet, och redovisar sedan område för område var dessa på ett särskilt tydligt eller illustrativt sätt präglar landskap och bebyggelse i kommunen. Utöver sin betydelse för den fysiska planeringen spelar kulturmiljöprogrammen också en viktig roll för ett annat av kulturmiljövårdens främsta syften — att göra kulturarvet levande och tillgängligt för alla.

Riksintressena

Naturresurslagen från 1987 talar om områden av riksintresse för att markera att somliga intressen av markens användning inte enbart är lokala (kommunala) utan en gemensam angelägenhet för oss alla. Där har staten kvar ett inflytande på den kommunala planeringen.

I den kulturpolitiska propositionen från 1974 slås fast att kulturmiljövården skall belysa hur Sveriges historia tar sig uttryck i miljöer som vittnar om tidigare generationers liv och livsbetingelser. Det markeras särskilt att det gäller hela landet och hela folket. Områden som i ett nationellt perspektiv är av betydelse från dessa utgångspunkter betecknas som områden av riksintresse för kulturmiljövården. Vad som är av riksintresse för kulturmiljövården skall enligt Naturresurslagen anges av Riksantikvarieämbetet.

Vår miljö är bärare av vårt kulturarv och skall förvaltas så att uttrycken för detta så långt möjligt kan bestå. Samtidigt måste miljön fungera i ett föränderligt samhälle och ge utbyte för dem som förvaltar den — fastighetsägarna och samhället. Denna spänning mellan bevarandeintressen och förändringsintressen balanserar planlagstiftningen så, att en fastighetsägare är skyldig att tillvarata miljön på ett sätt som motsvarar dess kulturvärden. Men om detta innebär att "pågående markanvändning avsevärt försvåras", dvs. att det leder till ekonomisk belastning för fastigheten, skall han kunna få ersättning för detta.

Anspråken berör i princip alla fastigheter men skall bara tillämpas där det motiveras av kulturvärdet. Planeringens uppgift är att hitta lösningar som kombinerar omsorg om kulturvärdena med en rimligt bärkraftig användning av de fastigheter som berörs. Härvid skall enligt Plan- och bygglagen från 1987 "såväl allmänna som enskilda intressen beaktas". Myndigheterna och fastighetsägarna måste alltså samverka för att hitta ömsesidigt godtagbara lösningar.

Fornlämningar, kyrkor och byggnadsminnen är skyddade enligt Kulturminneslagen oavsett vad planering enligt Planoch bygglagen leder till och oberoende av om objekten ligger inom eller utom en avgränsad miljö.

Alla kommuner skall sedan 1990 ha en översiktsplan, som visar kommunens intentioner vad gäller markanvändning och bebyggelse. Där skall också redovisas hur man tänker tillgodose riksintressen av olika slag, bland annat för kulturmiljövården. Översiktsplanen, som skall täcka hela kommunen, blir med nödvändighet ganska grovmaskig. För att precisera intentionerna i områden med särskilda kulturvärden kan kommunen göra en så kallad fördjupning av översiktsplanen, i princip hur detaljerad som helst. Fortfarande är det dock enbart samhällets intentioner som uttrycks, och de måste sedan länkas ihop med fastighetsägarnas agerande i de aktuella områdena.

David Damell, Ivar Eklöf, Ulf Gyllenhammar, Birgitta Hoberg, Ola Kyhlberg, Christian Meschke, Elisabeth Nyström Kronberg, Johan von Reis, Kerstin Riessen, Gustaf Trotzig, Axel Unnerbäck

*

Kulturmiljövård i ett internationellt perspektiv

Sverige har ett särskilt ansvar att ta tillvara och vårda de delar av vårt kulturarv som har en internationell betydelse, till exempel strukturer eller miljöer som är vanliga här men mindre kända på kontinentalt område. Detta hör samman med att vårt land i globalt sammanhang är en sent och glest befolkad utkant. Just därför finns åtskilligt kvar här, som kan ha försvunnit på andra håll.

Det internationella perspektivet är ovant både för den som arbetar professionellt inom kulturmiljövården och för människor i allmänhet. En orsak är att det tidigare framför allt har varit de stora monumenten runt om i världen som har stått i centrum för ett ofta estetiskt motiverat intresse. När uppmärksamheten nu alltmera riktas mot kulturarvet som ett uttryck för olika tiders och olika områdens särart finns det en rad företeelser i Sverige som har ett internationellt värde både som kulturupplevelse och från forskningssynpunkt.

*Nyckelvikens herrgård i Nacka utanför Stockholm. Foto: Bengt
A. Lundberg,* RAÄ.

Det gäller den *norrländska fångstkulturen,* som vi kan följa
genom hela den förhistoriska tiden och vars grundelement —
jakten och fisket — förs vidare in i historisk tid som viktiga
inslag i norrländskt näringsfång. Fångstkulturens lämningar är
talrika och återfinns inom hela norrlandsterrängens område.

Ett särpräglat uttryck för ett skede av vår äldsta historia är
bronsålderns hällristningar, som i huvudsak uppträder inom
några få områden. Genom den stora mängden bevarade loka-
ler, bildinnehållets rikedom och samspelet med övriga spår av
bronsålderns samhälle är hällristningarna i Sverige av stort
internationellt intresse.

I *Mälardalen* har vi ett tydligt och internationellt sett ovan-
ligt exempel på ett omfattande odlingslandskap, som har

En kyrkstad är en samling stugor och stallar vid en sockenkyrka där långväga sockenbor hade sin fasta punkt vid kyrkobesök. Här bodde man under de stora kyrkhelgerna, ting, marknader och andra tillfällen. Gammelstads kyrkstad, Luleå, är ett enastående exempel på den traditionella kyrkstad som finns i norra Skandinavien. Inskriven på Unescos världsarvslista 1996. Foto: Jörgen Runeby, RAÄ.

brukats kontinuerligt under lång tid och där minnena från olika epoker finns väl bevarade sida vid sida. Gravfält, boplatser, runstenar och vägsträckningar från järnåldern, medeltida kyrkor och gårdslägen, den historiska tidens byar och sätesgårdar berättar jämte ortnamnen på ett åskådligt sätt en mer än 2 000-årig historia.

Vi kan i Sverige följa *järnhanteringens* utveckling från förhistorisk tid, över medeltid och in i vår egen tid. Genom att de tekniska fornlämningarna, anläggningar och bebyggelse i så stor utsträckning har blivit bevarade finns här unika möjligheter att studera utvecklingsförloppet från järnåldern och till nu.

Även när det gäller byggnadsbeståndet finns särdrag som är värda att lyfta fram. Det gäller de välbevarade, *medeltida landsortskyrkorna*, som genom sin byggnadshistoria och sin rika skatt av inventarier speglar olika bygders liv och förbindelser. Internationellt torde det inte minst vara rikedomen på sådana smyckeskrin som väcker intresse.

Den svenska *herrgårdskulturen* ger en speciell prägel åt många bygder. Herrgårdarna är inte stöpta i samma form, men det kan ändå vara befogat att tala om "den svenska herrgården" som ett begrepp. Det motiveras både av den roll herrgårdarna spelat i bygdernas liv och av deras byggnadskultur. Både de enskilda byggnaderna och de samlade miljöerna visar tydligt, hur en inhemsk tradition att bygga har smälts samman med impulser utifrån till ett omisskännligt eget uttryck.

Det stora beståndet av *timmerhus* för olika ändamål och *trähusbebyggelse* från olika tider kännetecknar i hög grad det agrara landskapet och måste uppmärksammas som ett internationellt ansvar. Sverige tillhör den nordliga träbyggnadskulturen, och trots omfattande rivningar har vi kvar många sammanhållna och välbevarade miljöer av stor betydelse för förståelsen av äldre tiders byggnadsskick och samhälle. Hit hör bland annat Ölands och Dalarnas byar, kyrkstäderna och fäbodarna i Norrland, några äldre stadscentra och skiftesverksbebyggelsen i södra Sverige.

Ett speciellt ansvar knyter sig slutligen till den *samiska kulturens* minnen och miljöer. Där gäller det i ännu högre grad ett kulturarv som inte följer nationsgränser utan måste ses i ett vidare sammanhang. De samiska minnena och miljöerna har också en särskilt tydlig prägel av människans beroende av och samverkan med naturen.

Gemensamt för flera av de nu nämnda kulturkomplexen är

den höga bevaringsgraden och den långa kontinuitet i bebyggelsemönster och markanvändning som kan utläsas ur de bevarade minnena och miljöerna. Det är kanske just detta som gör det svenska kulturarvet särskilt betydelsefullt från internationell synpunkt.

En allt viktigare uppgift för kulturmiljövården blir därför att skapa förståelse för att bevara mängden av var för sig relativt blygsamma fornlämningar, byggnader eller miljöer, vilket i sin tur kräver kunskap som kan ge översikt och perspektiv. Med en ökad kunskap och en bredare och djupare insikt om kulturarvets karaktärsdrag blir det också lättare att ta ställning till och få gehör för särskilda insatser.

Vi har alltså all anledning att tala om kulturmiljövårdens nationella och internationella ansvar för att skydda och vårda kulturarvet i framtiden.

Ändå är kulturarv och kulturmiljövård först och främst något mera personligt, som angår var och en av oss i vår vardagsmiljö. Runt omkring oss finns minnen: minnen av människor som brukat den mark vi nu brukar, minnen av människor som levat och verkat på den ort eller i den stad där vi nu bor, minnen av människor som smyckat kyrkan vi själva tillhör, minnen av människor som med gemensamma krafter byggt våra folkrörelsers hus.

Kulturminnen är minnen av människor. De hjälper oss att uppleva och bevara ett tidsperspektiv — till förfäder vi känner till namnet eller till anonyma generationer av föregångare genom århundraden och årtusenden. Kulturminnen och kulturmiljöer ger identitet åt bygden och landet. Det är allas vårt ansvar att med varsamhet bevara den identiteten för framtiden.

Margareta Biörnstad

Svenska museer

I den klassiska antiken var museet — av grekiskans museion — hemvist först för de sköna konsterna och senare för naturvetenskaperna. Numera står museet framför allt för en viktig del av samhällsminnet. Där visas saker och sammanhang som hör till den rörliga delen av vårt kulturarv, medan byggnader och andra monument förhoppningsvis finns kvar på sina ursprungliga platser.

Vad tänker man på när man hör ordet "museum"? Femtiotalister och äldre upplevde nog sina första museer med blandade känslor. Det brukade se ungefär likadant ut i museet som när klassen var där förra året. Oföränderligheten tycktes upphöjd till norm. Ofta var utställningarna både bildligt och bokstavligt dammiga. Visserligen gick det att lära sig ett och annat om man ville, men ibland var det liksom svårt att få lust.

Idag har museerna en helt annan image. Turistbroschyrerna är fulla av bilder från museer och historiska sevärdheter. Museerna har blivit attraktioner och populära utflyktsmål både för långväga gäster och folk från trakten.

Hur många museer finns det? Det beror på hur de definieras. Sverige är egentligen rikt på museer. De svenska hembygdsgårdarna skulle räknas som museer i många internationella sammanhang. Men den officiella svenska museistatistiken tar bara med museer som har anställd och utbildad

*Entrén till Nordiska museet i Stockholm och den tillfälliga
utställningen "Bilen", invigd 1997. Foto: Peter Segemark,
Nordiska museet.*

personal och som kan ha öppet för allmänheten på bestämda
tider. I den statistiken ingår ungefär två hundra stycken.

Hur stora är museerna? Som arbetsplatser är de små, men
de har en mycket bred verksamhet. I många museer arbetar
bara några enstaka personer som får dela sin tid mellan alla
funktioner. Ett par stora statliga museer har hundratals
anställda. Där kräver själva samlingarnas storlek och komplex-
itet ett antal specialister, likaså uppgiften att ge råd åt museer
och andra intressenter inom samlingsområdet. Men också
museer av genomsnittlig storlek organiserar sitt arbete på sär-
skilda avdelningar för undervisning, utställningsarbete, doku-

mentation och konservering m.m. Genomsnittligt har ett länsmuseum ungefär femtio "årsverken" och ett kommunalt museum drygt tio.

Vad är ett museum? En och annan storsamlare vill gärna kalla sin samling för "museum" — det kan gälla veteranbilar, knappar eller reservoarpennor. Men en knappsamling är inget museum. Vad ett museum är och skall vara har den internationella museiorganisationen ICOM, International Council of Museums, haft tankar om. ICOM har en museidefinition som de svenska museerna har anslutit sig till. Där sägs bland annat att ett museum skall samla, bevara (konservera), forska, kommunicera och ställa ut. Dessutom skall museet vara en ickekommersiell institution i samhällets tjänst.

Bakom de svenska museerna finns i regel samhället i form av politiskt tillsatta styrelser. Och i utställningar och program finns det omgivande samhället med i form av alla samarbetspartners som påverkar dagens museiverksamhet.

Visserligen är själva arbetsfunktionerna ungefär desamma vid de flesta museer, men ämnesmässigt är museerna mycket olika. Det finns konstmuseer, naturhistoriska museer, teknikhistoriska, arkeologiska, etnografiska och kulturhistoriska museer plus museer med blandade samlingar.

I andra länder är till exempel arkeologiska museer vanligare än här. Det beror på att i Sverige samlade staten förr in alla fornfynd centralt. Det bästa av det mesta när det gäller arkeologi fanns därför i Statens Historiska Museum i Stockholm ända fram till på 1940-talet, när lagstiftningen gjorde det möjligt att föra ut sådana föremål till regionerna.

Sverige har bara två etnografiska museer, i Stockholm och Göteborg. På andra håll har man många fler. Hur förklarar man det? Jo, de etnografiska museerna i Sverige handlar om

Guldrummet på Statens Historiska Museum i Stockholm. Foto: SHM.

folken i andra delar av världen, utanför Europa, medan beteckningen i andra länder ofta står för det som vi här kallar kulturhistoriska museer. Kulturhistoriska museer kallas också ibland i andra länder för folkkonstmuseer. Av våra museer är ungefär två tredjedelar i vid mening kulturhistoriska.

Utanför den officiella statistiken och museidefinitionerna finns sedan ca 1 000 svenska hembygdsgårdar och i dem handlar det också om kulturhistoria.

Vad museerna samlat på? Själva samlandet sker efter olika principer, beroende på intresseområde. Konstmuseer samlar helst det som är bra, ja till och med banbrytande. Teknikhistoriska museer vill gärna kunna visa det första eller sista exemplaret. De kulturhistoriska museerna samlar det mest representativa, det vanligaste för sin tid. Men som vi strax skall se har det inte alltid varit så.

Det är fascinerande att studera samlandet över tiden och se hur uppfattningarna ändras om vad som är viktigt att bevara. Låt oss gå tillbaka till 1600-talets Sverige som efter en rad seggerrika fälttåg på kontinenten blivit en ny stormakt, som behövde manifestera sig utåt. Monumentala byggnadsverk och dyrbara samlingar av konst och kuriositeter behövdes som en del av propagandan. Och det byggdes och det samlades i stor skala — pengar saknades inte.

Man samlade också på det som var ovanligt, ja till och med abnormt. Det kuriösa låg i tiden. Missfoster, strutsägg och allmänt exotiska ting samsades i kabinettskåpens lådor tillsammans med utsökt hantverk och spännande material: miniatyrmålningar, filigran och bergkristall. Gustav II Adolfs konstskåp som nu finns i universitetsbyggnaden i Uppsala är ett slags minimuseum från den tiden — ett mikrokosmos som också skulle visa hur allt kunde vara möjligt i Guds skapelseverk.

Senare, under det systematiserande och nyktra 1700-talet, blev det vanligare med samlingar som bestod enbart av naturalier. Linnés lärjungar följde med på Ostindiska kompaniets handelsexpeditioner och samlade in både djur och växter. Det är ett fascinerande material som nu finns i Naturhistoriska riksmuseet i Stockholm. Tidens bildningsideal gjorde också att inte bara professionella lärda samlade på snäckor, insekter och stenar, utan också privatpersoner, amatörer.

En annan sida av sparandet och samlandet är äreminnet. För 1700- och 1800-talets tidiga turister fungerade Skoklosters slott utanför Stockholm som ett sådant äreminne över sin bygghgerre, fältmarskalken och riksamiralen m.m Carl Gustaf Wrangel. Idag upplever vi ett besök i Skokloster mer som en

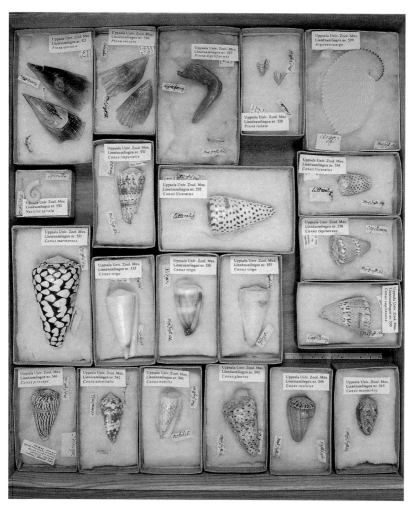

Drottning Lovisa Ulrikas (1720–82) naturaliesamling finns utställd på Museum Gustavianum vid Uppsala Universitet. Foto: Museum Gustavianum.

färd med tidsmaskinen till ett fruset ögonblick i den europeiska och svenska historien.

Också de fasta minnena av fornstora dar hade ett självklart propagandistiskt värde i stormaktstidens Sverige. Vikingarna förvandlades till politiska alibin. Runstenar och annat fornt måste fram ur historiens glömska för att ge legitimitet åt den nya svenska överhögheten i Europa. Eftersom det fanns ett centralt politiskt intresse av att utnyttja kulturarvet i politiken skapade den svenska statsmakten också ett förvaltningsorgan, en myndighet för detta ändamål — Riksantikvarieämbetet. Tjänstemän från Stockholm började resa runt och inventera landet på jakt efter spåren av det storslagna förflutna.

Mot slutet av 1600-talet när staten/kungamakten reducerade krigaradelns rikedomar skingrades många dyrbara konstsamlingar och inredningar bland annat genom auktionsförsäljningar. En del udda ting från barocktiden — vävda tapeter, möbler och annat konsthantverk — som idag finns i svenska museer har vandrat sådana omvägar innan de slutligen hamnat där, ofta genom donationer gjorda av antiksamlande borgarfamiljer vid sekelskiftets stora museiboom.

1600- och 1700-talets samlande skiljer sig på flera sätt från varandra. 1700-talet kom att genomsyras av ett behov att systematisera. Målet med samlandet blev att kartlägga och redovisa. Museernas vetenskapliga era börjar här, i upplysningstidens samhälle.

Det tidigare museisamlandet tycks ha motiverats av känslor som vördnad, fascination och ofta en portion skräckblandad förtjusning inför tillvarons rikedom och mysterier. 1700-talets koppling mellan samlande och systematik knöt istället samlandet till lärdomssamhället. Det dissekerande förhållningssät-

Interiör från Kongl. Museum målad av Pehr Hilleström (1733–1816).
Foto: SKM.

tet gjorde också att olika sorters museer kom att skapas för olika delar av den historiska verkligheten.

En del spröda herbarier, samlingar av uppstoppade fåglar, fågelägg, fjärilar och spritkonserverade naturalier som samlats i stiftstädernas skolor landade så småningom i våra läns-museer. Där är de numera levande lärdomshistoria snarare än det de en gång var: demonstrationsmaterial i naturkunskap.

De kungliga samlingarna av konst, mynt och naturalier kom att bli stommen i de nationella museerna. Från Drottningholm och drottning Lovisa Ulrikas biblioteksflygel där kom mynt och medaljer, förvarade i specialtillverkade skåp av mästersnickaren Haupt, så småningom till Kungliga Mynt-kabinettet. En del av naturalierna från Drottningholm finns nu i Naturhistoriska riksmuseet. Den konst som Gustav III köpte in av Carl Gustaf Tessin — han hade samlat fransk samtidskonst i stor skala och med utsökt smak — finns numera i Nationalmuseum. Det gör också den nordeuropeiska, mestadels flamländska delen av drottning Christinas konstsamling. Den blev kvar här när hon efter sin abdikation 1654 lämnade Sverige, eftersom hon hellre ville ha med sig de italienska renässansbilderna.

På 1790-talet fick vi vårt första museum i nutida bemärkelse, med en samling som var öppen för allmänheten. Det var Kongl. Museum, beläget i Kungliga Slottets nordöstra hörn. Där visades tavlor (nu i Nationalmuseum) och avgjutningar av klassiska antika skulpturer, som Gustav III köpt på sin italienska resa i början av 1780-talet. Meningen var uttryckligen att ge bildning åt publiken. Detta skiljer Kongl. Museum från till exempel Livrustkammaren som visserligen har äldre anor, men vars trofésamlande haft delvis andra förtecken.

Om tidigare samlande varit knutet till adelsmiljöerna och lärdomssamhället så utvecklades samlandet under 1800-talet istället till en (hög)borgerlig angelägenhet. De vinstmöjligheter som industrialiseringen erbjöd gjorde att ett nyrikt borgerskap så småningom etablerades och "societetens" samlande i 1800-talets små och medelstora svenska städer kom att bli början till många av dagens stadsmuseer och länsmuseer.

Den snabba utvecklingen gjorde samtidigt att tillvaron ibland kunde kännas osäker. Vart var världen på väg? Kanske det ändå var bättre förr? Tidsfaktorn, återblickandet började styra samlandet som nu mer och mer fick nostalgiska övertoner.

När skråväsendet 1846 upphörde blev det lättare att lansera

Tröskning med lokomobil som drivkraft. Foto: Nordiska museet.

ny teknik. Och att hantverksmetoder som funnits i hundratals år övergavs betydde samtidigt att det uppstod ett behov av att återkalla dem, att minnas, spara och dokumentera.

Sverige industrialiserades relativt sent. När flykten från landsbygden började gick den både till städerna och Staterna. Slutet av 1800-talet och sekelskiftet blev därför en tid full av förändringar i svenska livsmönster. Kvar i uthus och på vindar blev allt det som man inte behövde i det nya livet, jordbruks-redskap och annat som inte kunde tas med till stan eller till Amerika. Den som fick arbete inne i stan köpte sig snabbt stadskläder. Den gamla sockendräkten blev undanstoppad för gott eller slutade uppklippt till mattrasor — man ville ju inte se ut som en lantis!

Från 1800-talets mitt och några decennier framåt välvdes stora tankar om museer runtom i Europa. Idéerna omsattes i för tiden gigantiska byggnadsprojekt i huvudstäderna, ofta uppbackade av starka fosterländska strömningar som här fann sitt materiella uttryck. Sådana manifestationer i megaformat

Dans i folkdräkt på friluftsmuseet Skansen. Foto: Skansens arkiv.

är till exempel Victoria & Albert Museum och British Museum, museerna i Bryssels Cinquantenairepark och de nationella konst- och naturhistoriska museerna i Wien. Vårt Nationalmuseum är i sammanhanget ganska litet, men också i Sverige fanns storskaliga planer; det är intressant att känna till att Nordiska museet, som idag består av en enda, magnifik byggnadskropp ursprungligen var tänkt att få fler sådana längor, grupperade som kring en jättelik borggård.

Nationalmuseum kom först, på 1860-talet. Lagom till Stockholmsutställningen 1897 var Nordiska museet provisoriskt färdigställt och litet senare Naturhistoriska riksmuseet. Statens Historiska Museum togs i bruk på 1940-talet. Kulturarvet kunde nu vårdas och visas på central nivå och under vetenskaplig ledning.

Vad fanns att se i de nya museerna? I Nationalmuseum fanns länge både konsten och de historiska arkeologiska samlingarna. De senare flyttades till Statens Historiska Museum när detta blev klart. Nationalmuseum var således inte i första hand ett konstmuseum, utan nationens museum med stort N. Man kan jämföra med det danska Nationalmuseum i Köpenhamn som ju fortfarande visar det mesta, utom just konst. Inget Moderna museet fanns förstås ännu, utan alla delarna av den statliga konstsamlingen, även den samtida konsten, kunde ses i Nationalmusei salar.

Nordiska museet och Skansen var det något alldeles särskilt med. Övriga svenska nationella museer följde i stort sett tidens internationella koncept. Men Nordiska museet med friluftsmuseet Skansen blev istället mönsterbildande för andra. På flera europeiska språk betyder nu faktiskt ordet "Skansen" friluftsmuseum. Det genomslag som Skansenidén fick berodde mycket på drivkraften hos Arthur Hazelius, Skansens och Nordiska museets skapare.

Hazelius ville bygga upp ett museum där kulturarvet förvisso skulle vara skyddat, med gärdsgård eller stenmur. Men det skulle också vara roligt där innanför och öppet för lekar och pedagogiska experiment. Om besökarna fick chansen att leva sig in i livet för länge sedan skulle de bära med sig kunskaperna om ting och traditioner vidare in i framtiden.

Sitt namn har Nordiska museet fått därför att Sverige när museet byggdes sedan 1814 var i union med Norge. Hazelius samlade följaktligen också in en stor mängd norska allmogeföremål, numera överlämnade till Norge.

Skansen, på platsen för en av de gamla försvarsskansarna runt Stockholm, blev en levande historieverkstad. Den som hade hunnit glömma kunde där få lära sig om mjölkhushållningen, de gamla stadshantverken, om hur man byggt och bott på den landsbygd som många hade lämnat. De mer exotiska djuren på Skansen kom inom parentes sagt dit som dragplåster för att täcka en del av Hazelius kostnader för detta stora folkbildningsprojekt.

Naturhistoriska riksmuseet bredde bokstavligt talat ut hela världens fauna och flora inför en vetgirig publik. Man kan säga att Naturhistoriska riksmuseet bevarade det panoramiska greppet, med rötter i 1700- och 1800-talets museisamlande. Också i vår tid lever det konceptet vidare, symboliserat av den nya Omniteaterns stora glob.

I Lund byggde Georg Karlin upp museet Kulturens samlingar ungefär samtidigt som Hazelius arbetade med Skansen. Karlins ansträngningar var mer inriktade på folkkonst och äldre konsthantverk. På så sätt kan man säga att han följde en mer kontinental linje, med ett folkkonstmuseum som skulle erbjuda det bästa ur det estetiska och hantverkliga kulturarvet. I Kulturen finns inte bara det svenska eller ens europeiska kulturarvet. Där finns sköna och tankeväckande ting från många delar av världen, samtidigt som Kulturen fungerar både som regionalt och lokalt skånskt museum.

I fornminnesföreningarna sökte man kunskap om det förflutna och så småningom väcktes där också tanken på att skapa regionala museer. Fornminnesföreningarna, som var baserade i städerna, var föregångare till den mer landsbygdsbetonade hembygdsrörelsen som kom igång på allvar under 1920-talet. Hembygdsföreningarnas filosofi byggde mer på lokalt engagemang och aktivt deltagande visavi kulturarvet än på vördnaden inför det som var gammalt och fornt. Precis som Hazelius byggde föreningarna upp samlingar genom upprop i pressen, resor och tiggeri. Textilier och redskap, möbler, byggnadsdetaljer — ja till och med hela hus samlades in och lagrades. Samlingarna visades till att börja med i städernas

Folkkonst från samlingarna på Kulturen i Lund. Foto: Kulturen.

*Svenska Fornminnesföreningens besök vid ruinerna av Alvastra
cistercienskloster i Östergötland 1901. Klostret instiftades 1143.
Foto: F. Borgstedt, ATA.*

skollokaler. I residensstäderna blev det insamlade stommen till
våra dagars länsmuseer. På andra håll bildades stadsmuseer på
samma sätt.

De olika landskapens gamla bondehantverk och hemslöjd
skulle också få nytt liv. En hemslöjdsrörelse kom igång, och
ganska snart kunde hemslöjdsbutiker öppnas med vackra och
användbara ting tillverkade av skickliga hemslöjdare i metall
och trä, keramik och textil. Genom inventeringar och insam-
lingar i byarna skaffades äldre föremål in. De funktioner, tek-
niker och mönster som bedömdes som utvecklingsbara togs
upp till nytillverkning. Hemslöjdens idé var (och är) också att

föra det hantverkliga kulturarvet vidare genom att kombinera det gamla med förnyande formexperiment.

Fornminnes- och hembygdsrörelsens alla insamlingar och upprop gav resultat. Nu fanns stora och intressanta samlingar av föremål. Men de var till att börja med just "samlingar" snarare än museer. Hur skulle man få dem att fungera som museer? Hur skulle man göra för att hålla ordning på alla sakerna? Och hur skulle de exponeras på bästa sätt? På de stora museerna i Stockholm fanns kunskaper. De fungerade som rådgivare åt nya museer. Men det behövdes mer kompetens ute i landet.

ETT NÄTVERK AV MUSEER

De tidiga entusiasternas arbetsglädje hade smittat av sig. Många fler hade engagerat sig och det fanns lokala hembygds- och fornminnesföreningar och länsvisa hembygdsförbund snart sagt överallt. En som såg fördelarna med detta breda engagemang var riksantikvarien på 1930- och 40-talet, Sigurd Curman. Men han såg samtidigt länens behov av kompetens för själva museiarbetet. Det hade dittills på de flesta håll skötts på volontärbasis, ofta av någon intresserad lärare i till exempel historia. Nu fanns utbildade människor med arkeologi, folk-livsforskning och konsthistoria i bagaget. Och ända sedan 1600-talet fanns en lagstiftning på fornminnesområdet vars efterlevnad måste följas och kontrolleras från regional nivå. Curman såg i systemet med länsstyrelser, den svenska statsför-valtningens regionalt förlängda arm, en modell för fördelning av centralt ansvar. Han genomdrev att det i varje län inrättades en landsantikvarietjänst med kompetenskrav och med lön från staten. Länets museitjänsteman placerades i de museer som hade börjat byggas med hjälp av bland annat statliga lotteri-medel.

Dagens länsmuseer är alltså resultatet av en koppling mellan ideellt arbete och verksamhet som är reglerad i lag, och med utnyttjande av Sveriges speciella förvaltningsstruktur.

Ansvarsfördelningen mellan Statens Historiska Museum och Nordiska museet utgår från Vasakungarnas tid. En symbolisk gräns är 1523, året för Gustav Vasas intåg i huvudstaden. Tiden därefter täcks av Nordiska museet och det är därför kungen sitter staty i jätteformat i museets stora hall.

Någon formell reglering av länsmuseernas förhållande till Nordiska museet som har ett centralt ansvar för deras traditionella samlingsområde — kulturhistoria — finns däremot inte. Nordiska museet är en stiftelse och inte en myndighet och kan därför inte bestämma till exempel vad länsmuseerna skall samla in. Men för museerna ute i landet har ämneskompetensen i Nordiska museet och Skansen (de har varit gemensam stiftelse större delen av tiden) alltid varit en viktig kunskapskälla som har stått till förfogande.

Efterhand ökade samhällets engagemang på kulturområdet. Så småningom kom detta att uttryckas i 1974 års program för den statliga kulturpolitiken, med mål som riksdagspartierna enats om var viktiga. Dit hörde att göra kulturarvet levande och att decentralisera kulturutbudet. Det beslöts därför att staten skulle börja ge länsmuseerna ett betydligt större stöd än den tidigare slanten till museichefens lön. Det var pengar som blev starten för en kraftig utbyggnad av länsmuseernas verksamhet.

Vid varje länsstyrelse inrättades också en tjänst för det fasta kulturarvet, en länsantikvarie.

Staty av kung Gustav Vasa på Nordiska museet i Stockholm.
Foto: Mats Landin, Nordiska museet.

Det nya statsbidragssystemet blev ett skäl för länsmuseerna att göra om sina organisationer. De flesta bildade stiftelse med värdkommun, landsting och hembygdsförbund som huvudmän. Hembygdsförbunden valde i regel att överlämna samlingarna till stiftelserna för en symbolisk summa. Det ekonomiska ansvaret för att driva länsmuseerna har sedan dess ofta delats mellan landstingen, värdkommunerna och staten.

Som motprestation till statsbidraget har länsmuseet åtagit sig att arbeta decentraliserat, över hela länet. Museet skall också samarbeta med länsantikvarien om kulturmiljövården.

Många länsmuseer har i sina stadgar formuleringar som ansluter till de av riksdagen antagna kulturpolitiska målen. Det kan man också se i många kommuners kulturpolitiska program som ju omfattar de kommunala museerna. Att bevara och använda kulturarvet kommer också i fortsättningen helt naturligt att vara ett mål för den nationella kulturpolitiken som riksdagen beslutat om, nu senast 1996.

Principen är alltså att varje län har ett museum med uppdrag att verka över hela länet och som har pengar från huvudmännen och staten för detta arbete. I några län delar man ansvaret med något annat museum som åtagit sig att arbeta länstäckande med något speciellt, till exempel konst eller industriminnesvård.

Det lokala, kommunala museinätet däremot är ganska oregelbundet utbyggt. Det finns ca 70 kommunala museer. Det innebär att ungefär var fjärde kommun tar hand om sitt kulturarv med hjälp av ett museum.

De flesta kommunala museer startades en gång på samma sätt som länsmuseerna, men av lokala fornminnesföreningar. Så småningom blev det nödvändigt med särskilda museibyggnader för att visa de växande samlingarna. Då vände sig föreningen ofta till kommunen som tog över det ekonomiska ansvaret i utbyte mot äganderätten till samlingarna.

Kommunala museer — stadsmuseer — samlar och visar den lokala historien. Ett stadsmuseum gör kanske inte så många vandringsutställningar som ett länsmuseum. Stadsmuseerna ligger ju nära sin publik (utom i storstadsområdena). Arbetet i ett stadsmuseum inriktas därför i regel ännu mera på närkontakter och lokalt publikutbyte. I museistatistiken syns detta till exempel på att antalet museilektioner för skolklasser är fler än i de andra museigrupperna.

Stadsmuseet kan också på ett annat sätt än länsmuseet koncentrera sig på ett avgränsat tema — att berätta om stadens förutsättningar genom århundradena. Modeller, foton och föremål knutna till staden och dess invånare visar hur den såg ut, vad människorna livnärde sig på och hur staden var organiserad.

Stadsmuseerna arbetar också med byggnadsvårdsfrågor. Museilösa kommuner kan köpa sådana tjänster av länsmuseet eller ha en kommunantikvarie anställd för kulturmiljövården.

Sigurd Curman hade insett fördelen med att ha en fast punkt med museikompetens i varje län. Han menade också att det borde finnas ett finmaskigare nät, en kedja centralt — regionalt — kommunalt som skulle hjälpas åt att vara samhällets minne. De här tankarna kom att utvecklas närmare av den idérike Harald Hvarfner som en kort tid före sin bortgång var chef för Nordiska museet. Hvarfner såg för sig ett system med museistationer spridda över länet, med länsmuseet som teknisk resurs. Men detta var vid 1960-talets slut och efter det stora lugnets tid ...

Första generationens museichefer var ofta starka personligheter som helt identifierade sig med sitt yrke. Och det

"*Tiljan — tidernas teater" på Stockholms stadsmuseum. I nysydda kostymer i 1600- och 1700-talsstil får barnen själva iscensätta en historisk händelse med hjälp av museets dramapedagoger. Foto: Per Hägglund, Stockholms stadsmuseum.*

behövdes säkert — det var ett udda yrke som de var tämligen ensamma om på den ort där de befann sig.

Själva arbetet i museerna utfördes delvis av ideella krafter. I länsmuseerna uträttades mycket i programverksamheten och bakom kulisserna av volontärerna i hembygdsförbundet, som ju också fortfarande ägde samlingarna. För stadsmuseerna bildades också vänföreningar — där kunde finnas duktiga textare, receptionister och modellbyggare. Men ändå — anställd och avlönad var förutom museichefen i regel bara en vaktmästare för utställningsarbete, fastighetsskötsel, föremålsvård m.m., plus kanske någon skrivhjälp. Det är inte att undra på att utställningarna fick stå kvar länge när de väl byggts upp. Frågan är väl snarare hur man hann med allt.

Dock — efter den första entusiastiska "museiboomen" inträdde så småningom ett lugn, ett slags stabiliseringsfas. Också över de allra nyaste och fräschaste museerna kom lugnet att breda ut sig, under flera decennier. Det var en tid när museerna själva visste bäst hur de skulle arbeta och med vad. Ordet "museivärlden" är från den här tiden. Det var också väldigt sällan som museernas verksamhet ifrågasattes av andra.

De första generationernas museimänniskor hade inte så mycket pengar från samhället för sin verksamhet, och samhället kunde därför inte kräva samma inflytande som idag. I universiteten var samtidigt de humanistiska ämnena relativt jämställda med naturvetenskaperna när det gällde status och anslag. Omvärldens respekt var stor och det var sällan någon som ifrågasatte museimannens rätt att forska på sitt specialområde oavsett dess publika dragningskraft. Lika sällan hördes någon anmärkning mot att utställningarna serverade vårt förflutna uppdelat efter de akademiska ämnena arkeologi, konsthistoria ellet etnologi.

DET MODERNA MUSEETS FÖDELSE

Men på 1960-talet började nya röster höras i museerna — publikens. Bo Lagercrantz och hans medarbetare i Stockholms stadsmuseum drog igång en kampanj för att försöka rucka på det cementerade museibegreppet och lyckades också. En dialog startade. Museet deltog i samhällsdebatten. Predikandets tid var ute. I Moderna museet hoppade ungar i skumgummi. Plötsligt hade det blivit kul att gå på museum! Efter detta blev museerna sig aldrig riktigt lika igen. Och tur var väl det.

Man skulle kunna säga att det moderna museet i Sverige föddes på 1960-talet. De som gick i täten för dialogen med publiken insåg dessutom att besökaren hade en kropp: att fler sinnen än synen måste få sitt för att museer och publik skulle bli riktigt goda vänner.

Först kom stolarna, så kaffeautomaterna. Sättet att göra utställningar måste också förnyas och så kom Riksutställningar till. Riksutställningar (numera en myndighet) skapades som en statlig stiftelse med uppdrag att utveckla utställningen som medium för förmedling av kunskaper och upplevelser. Via vandringsutställningar spreds nya spännande grepp och metoder ut till museerna i landet.

Samtidigt inrättades också de första museilektorstjänsterna. Tidigare hade skolan nästan alltid fått klara sig själv i museet. Nu gick museet skolan till mötes med program och museilektioner. Museerna började också göra studielådor och vandringsutställningar för skolbruk. De kunde handla om stenåldern, om bondeåret eller sättet att klä sig förr eller ta upp något annat tema som skolorna var intresserade av.

Ganska snart kom också förskolan in i museet med organiserade besök på samma sätt som skolan. Särskilda verkstads- eller ateljérum inreddes för barnverksamheten och för kvällarnas vuxenstudiecirklar. I dagens museer vimlar det av stora och små som målar, klipper och klistrar, klär ut sig och bygger modeller av gamla hus och sysslar med alla möjliga andra historiska experiment.

De allvarligare diskussionerna på 1960- och 70-talet handlade annars om vad som är själva meningen med museernas verksamhet. "Samla, vårda, visa — eller något mer?" hette ett diskussionsunderlag författat av museimannen Göran Rosander. Det var en liten skrift, men med stor betydelse för

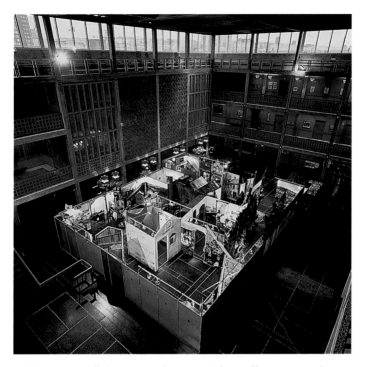

Helt nytt i utställningssammanhang var Riksutställningars projekt
"Land du välsignade", 1973. Foto: Riksutställningar.

de svenska museernas inriktning. Den placerade museerna mitt emellan vetenskapsvärlden och samhället och därmed ett steg närmare publiken.

Museerna hade börjat synas på ett annat sätt än tidigare. Några knorrade väl över att forskning och dokumentation riskerade att hamna i skymundan. Men de flesta museer lät tyngdpunkten förskjutas mellan det så kallade inre arbetet och det utåtriktade. Engagemanget från samhällets sida ökade därigenom också och museerna kunde få större anslag, mer pengar att arbeta för.

*Vandringsutställningen "Svenska Hus" invigdes 1995 och visar lands-
bygdens hus i ca 100 modellexemplar — ett modernt exempel på hur
man kan lyfta fram och diskutera vårt kulturarv. Foto: Olof Wallgren,
Riksutställningar.*

MUSEET OCH LAGEN

Tankarna på att hejda kulturarvet i flykten och bevara det för
framtiden har i Sverige under hela 1900-talet löpt längs två
huvudspår. Två olika bevarandefilosofier står faktiskt mot
varandra. Den ena vill bevara genom att i första hand avgrän-
sa, inhägna och skydda, den andra genom att åstadkomma
delaktighet, inlevelse och identifiering.

Det finns lagar och en central myndighet till hjälp för
hanteringen av fasta fornminnen, arkeologiska fynd och sär-
skilt skyddsvärda byggnader och miljöer. Länsmuseernas
insats är viktig här och deras samarbete med Riksantikvarie-

ämbetet och länsstyrelserna kring kulturmiljövården har motiverat delar av det statliga länsmuseistödet. Men någon lag för den rörliga delen av kulturarvet, allt det som fyller museerna, finns inte i Sverige. Betyder det att vi inte tycker att det rörliga kulturarvet är lika betydelsefullt, lika "viktigt" som det fasta?

En del andra länder har museilagar. I vissa fall går lagen ut på att ringa in ambitionsnivå och syfte för museernas arbete. I andra ger lagen en definition av vad ett museum är. Man klargör via lagen vilka museer som kan vänta sig ekonomiskt stöd från samhället/staten. Men ingenstans finns en museilag som till exempel stadgar att samhället skall ordna med museer och se till att de arbetar på ett sätt som gör det möjligt för medborgarna att ta del av sitt kulturarv.

Vi har en arkivlag. Den säkrar bland annat medborgarnas rätt till det kulturarv som de statliga arkiven utgör. En svensk bibliotekslag har nyligen införts som slår fast att det i varje kommun skall finnas bibliotek. Så varför inte en museilag?

Kanske därför att museet med sin breda verksamhet står mitt emellan kreatörerna och förvaltarna. De lagar som finns på kreatörssidan är till för att skydda den konstnärliga friheten och upphovsmännens rättigheter. Men det finns inga lagar som stadgar hur teater- och musikinstitutioner skall arbeta, än mindre hur bildkonsten skall vara beskaffad.

Att gestalta utställningar kan ses som en fri konstart. Utställningen är museets motsvarighet till teaterföreställningen eller konserten. Samtidigt behövs forskning kring fakta för att ge utställningen kunskapsinnehåll. Kulturarvet skall förvaltas. Bevarande och dokumenterande åtgärder måste till, så att samlingarna kan utnyttjas för utställningar och andra former för levandegörande och kunskapsförmedling.

Samla, vårda, visa — eller något mer ...? Titeln på Göran Rosanders diskussionshäfte skall till sist få bilda ramen kring en rundmålning av museernas arbete igår och idag — och ett avstamp inför morgondagen.

SAMLA

Hur många föremål finns det i museerna? Själva antalet föremål är svårt, ja nästan omöjligt att fastställa. Och det beror inte på att museerna inte har ordning på sina saker, utan på att den som försöker räkna måste utgå från antalet inventarienummer. Men nummer 14326 kan sedan i sin tur vara uppdelat i a till och med y och alltså bestå av ett stort antal objekt som hör ihop, till exempel en glasservis. Att många föremål eller delar av föremål hör ihop är vanligare i naturhistoriska och arkeologiska samlingar än i kulturhistoriska eller konstsamlingar.

De i vid mening kulturhistoriska museerna har de bredaste samlingarna. I ett länsmuseum eller ett stadsmuseum med rötter i sekelskiftet hittar man ofta också mindre samlingar av konst, teknik- och industrihistoria och naturhistoria.

De kulturhistoriska samlingarna består idag troligen av ca 4 miljoner inventarienummer. Till det skall alltså läggas ett okänt antal föremål som ingår i ett och samma inventarienummer. Enligt en nyligen gjord beräkning kan det finnas omkring 38 miljoner föremål enbart i de statliga museerna och länsmuseerna.

Arkeologiska samlingar i Sverige omfattar kanske 3,5 miljoner föremål (år 1985 var de drygt 3 miljoner). De naturhistoriska museerna har troligen ca 20 miljoner föremål, varav Naturhistoriska riksmuseet står för hälften. För konstmuseernas samlingar finns ingen särskild sifferuppgift, men numerärt är de små i förhållande till övriga områden. Dessutom finns många miljoner fotografier, de flesta i kulturhistoriska museer.

De tidiga fotograferna var entusiaster som sågs med viss misstänksamhet av omgivningen. Att vara fotograf var inget "riktigt" yrke. Men de kartlade landet och människornas liv i fotosamlingar av oskattbart värde. Somliga vandrade runt eller tog kameran på cykeln, som Karl Lärka i Dalarna, andra (ofta kvinnor) hade fotoateljéer i städerna. En del sådana samlingar undgick bara av ren tur containerdöden, när husen de förvarats i skulle till att rivas. De räddades istället till museerna.

Mycket av insamlingsarbetet bestod förr av sådana räddningsaktioner. Man skulle rädda ett kulturarv som hela tiden höll på att försvinna — inte ett som så att säga pågick. Ständiga akututryckningar försvårade planeringen. Många av dem som idag är verksamma i museerna minns med fasa rivningsraseriet under de så kallade rekordåren på 1960-talet. Då tog museet ibland hand om allt eftersom man inte hann med att sortera efter angelägenhetsgrad. Och lika ofta hann museet inte fram förrän det var för sent. Detta improviserade samlande ledde förstås snett. Det blev överrepresentation på en del områden och luckor på andra.

Varje år samlar museerna i Sverige in uppemot två hundra tusen föremål plus ett stort antal fotografier, ca en halv miljon. Hur klarar man det? Fler och fler museer gör upp program för insamlingen. De reder ut vilka luckor som finns i samlingarna och vilka strategier som kan användas för att fylla dem.

I början av 1970-talet lanserades dessutom en ny och spännande idé. Den gick ut på att kulturhistoriska museer borde börja samla saker från samtiden, för framtiden. Om dagens

Gruppfoto taget på ateljé. Foto: Ur familjen Ekholtz fotosamling, Västerbottens Museum.

vardagsliv kunde dokumenteras med bilder och föremål skulle man om femtio år vara på den säkra sidan. Om museerna kom i takt med tiden skulle de slippa undan en del av osäkerheten och riskerna för felbedömningar som alltid finns när dokumentationsarbetet måste göras retroaktivt. Sagt och gjort. Med Nordiska museet som motor delade museerna upp ansvarsområden för samtidsdokumentationen mellan sig. Nätverket SAMDOK fungerar så idag, med grupper av museer som tillsammans dokumenterar olika delar av livet i Sverige. Det här är också en idé som många andra länders museer har börjat ta efter.

Museerna har inte på långa vägar ekonomiska resurser för att köpa in vad som fattas i samlingarna. Allmänheten känner väl till detta och många människor ställer därför gärna upp och vill skänka föremål. Desto viktigare är det både för den som arbetar i museet och för den som kommer med gåvor (eller donationer som det heter med ett finare museiord) att vara medveten om vilka kostnader det innebär att ta emot sakerna och sedan ansvara för dem i ett obegränsat framtidsperspektiv.

När ett föremål kommer in i museet skall det katalogiseras. Det innebär att det beskrivs i ord och med måttuppgifter och att det fotograferas och märks med ett inventarienummer. Dokumentationen skall kunna användas i vetenskapliga sammanhang och för att identifiera föremålet när det skall tas fram, till exempel inför en utställning. Om olyckan är framme och det stjäls eller försvinner på annat sätt är kataloguppgifter och foto också ett måste.

Beskrivningsarbetet följer i princip samma rutiner idag som i museernas barndom. Tidsödande? Ja, men nödvändigt för att ha kontroll över samlingarna och för att utan tvekan kunna identifiera ett föremål som någon frågar efter eller som behöver tas fram till en utställning. Numera skrivs förstås inte de här uppgifterna med bläck på kartongkort, utan knappas in i datorn.

VÅRDA

För att samlingarna skall må bra måste luftfuktighet och ljus anpassas i utställningsrum och förvaringsutrymmen. Trä, till exempel möbler, vill gärna ha litet fukt i luften, metallföremål kan inte ha nog torrt. Färgade textilier och akvarellbilder mår bäst i mörker, medan oljemålningar helst skall ha litet ljus på sig. Gamla foton är sköra och känsliga tidsdokument som måste förvaras i rätt inomhusklimat och hanteras med stor omsorg för att också i framtiden kunna utnyttjas som kunskapskällor.

Detalj från "Törebodaköket". I en SAMDOK-undersökning 1991 dokumenterade Nordiska museet i Stockholm ett vanligt, modernt svenskt kök samt förvärvade alla föremålen. Foto: Birgit Brånvall, Nordiska museet.

Att material kan bli sprödare, att färger förändras och förstörs i lokaler utan klimatstyrning visste man inte så mycket om när museerna började sin verksamhet. Föremålsmagasin kom att behövas ganska tidigt, men det fanns inte pengar att bygga nytt för. Tillräckligt stora och billiga lokaler hittade museerna ofta på landet. De hyrde in sig i gamla logar eller lagerlokaler, byggnader som var uppförda för helt andra ändamål än för att hysa ömtåliga museiföremål. Det är för dyrt att nu åtgärda alla skador som uppkommit under många år i felaktiga förvaringsutrymmen. Men både museipolitikerna och de som arbetar i museerna är numera väl medvetna om riskerna med felaktig förvaring. Det finns också tekniska möjligheter att testa klimatförhållanden mot olika material. När nya magasin behövs idag byggs och inreds de därför så att föremålen skall må bra av att förvaras där.

VISA

Ibland hör man uppfattningen att det som museerna visar bara är toppen på ett isberg. Merparten av samlingarna ruvar de på i sina magasin, sägs det. Men det stämmer inte. En del saker är "på vandring", dvs. ingår i någon vandringsutställning som är ute på turné. Andra kan vara utlånade till sjukhus, ålderdomshem, förvaltningslokaler eller andra arbetsplatser. Vissa föremål förvaras i magasinen därför att de hör till samhällsminnet. Museet har en gång tagit ansvar för dem, men de kan till exempel ha skador som gör att de inte fungerar så bra som utställningsobjekt.

En del utställningar är tillfälliga. De räcker några veckor eller månader. Andra är halvpermanenta eller så kallade basutställningar som står under åtminstone några år. Och det måste få fortsätta att vara så, bland annat därför att det brukar vara dessa fasta utställningar som skolorna återkommer till, ofta i schemalagda program och med studiematerial som museet producerat i samråd med skolan.

I konkurrensen från andra media har det blivit nödvändigt att kunna erbjuda sinnena mer i utställningarna. Så sent som på 1970-talet var det sällsynt att museiutställningar utformades av andra än de som var specialister på själva ämnet för utställningen. Men många gånger räcker inte fakta för att göra ett ämne fascinerande som utställning. Idag tar man ofta in krafter utifrån, särskilda utställningsproducenter som istället är specialister på visualisering och som arbetar tillsammans med ämnesexperter.

De svenska museer som inte har tillfälliga utställningar är lätt räknade. Nästan alla har haft det mycket länge, och den handfull som börjat först på senare år har gjort det därför att man upptäckt att även en aldrig så liten utställningssatsning drar publik till museet. Och mer publik betyder på sikt större resurser, eftersom ökat publikintresse brukar kunna resultera i större anslag från museernas huvudmän.

Här liknar museerna teatern och skiljer sig kanske inte så mycket från biblioteken, men väl från arkiven där man sällan ser sådana direkta kopplingar mellan respons och resurser.

Det finns ett nyckelord i dagens debatt om museerna och det är "tillgänglighet". Kraven på tillgänglighet ökar, men blottlägger samtidigt en konflikt: kulturarvet måste skyddas samtidigt som det skall exponeras. Varje museum genomför dagligen denna balansakt. Nya rön i bevarandefrågor gör dessutom museerna ännu mer medvetna om skaderiskerna vid hantering och tillgängliggörande av olika slag.

Ändå kan man gott tänka sig att museernas framtid faktiskt kan komma att bestämmas av hur tillgängliga de kan bli för omvärlden — och för varandra, i det vetenskapliga samtalet. Multimedia och nya lagrings- och söktekniker kan användas för att lösa den här konflikten.

Sverige hör till de länder i världen där IT snabbast vunnit terräng. Vi har redan nämnt att museernas katalogiseringsarbete numera är digitaliserat. De svenska museerna ligger internationellt sett i täten när det gäller att tillgodogöra sig de nya teknikerna. Många har nu också e-post och hemsidor på Internet. Utställningarna blir mer och mer interaktiva och öppna för en dialog mer på publikens villkor.

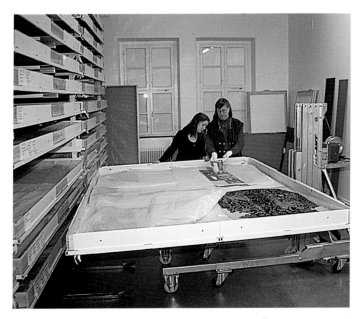

Utmärkelsen Årets Museum 1998 i Sverige, gick till Örebro läns museum för det öppna magasinet/arkivet "Länsarvet". I speciella visningsrum får besökaren studera ömtåliga föremål mer ingående tillsammans med en guide — här en mässhake från 1600-talet. Foto: Örebro läns museum.

Hur tillgängliga museerna är för sin publik beror inte bara på utställningarna. Faktarum blir allt vanligare, där du kan söka fram uppgifter och foton till exempel om en by eller om den gata du bodde vid som barn, om forna tiders industri och hantverk i ett stadsområde eller om en konstnär eller konst-riktning. Faktarummen IT-utrustas nu i snabb takt.

I utställningssammanhanget har IT flera fördelar: fakta görs tillgängliga efter eget val. Som besökare behöver man inte stå och läsa igenom en hel skärmvägg med utställningstexter för

*Saltflaska tillverkad av Jon Utsi, Jokkmokk. Foto: Jan Gustavsson,
Ájjte, Svenskt fjäll- och samemuseum.*

att hitta det man vill veta. Om museet valt att utnyttja
tekniken på det sättet kan IT också förstärka utställningens
budskap.

... ELLER NÅGOT MER?

Museer som vågar problematisera samlingarna och sätta fråge-
tecken här och där i utställningarna blir mer spännande. Det
är också nyttigt för museerna att komma bort från det tradi-
tionella staplandet av fakta och den gammeldags positivistiska

syn på samhällsutvecklingen som så ofta har styrt utställningarna.

Det är intressant med museer som vill integrera konst, kulturlandskap och vanligt vardagsliv, som strävar efter att ge en helhetsbild istället för de traditionella ämnesbundna indelningarna och som låter sinnena vara med, så att man upplever något medan man lär sig.

Hur medvetna var egentligen gårdagens museimänniskor om sina egna värderingar när de utförde insamlingsarbetet — och hur är det med dagens? Och hur mycket av kvinnornas liv och tankar har egentligen kommit med i museernas bild av historien? I den här svenska museihistorien finns som synes inte ett enda kvinnonamn med bland förgrundsgestalterna.

Hittills har också bara en etnisk minoritet funnit en plats i museerna och det är förstås samerna. Andra folkgruppers kulturer knackar nu på hos de svenska museerna. Samtidigt kommer det att behövas mer av jämförande utställningar och mindre av sådana som framhäver särdrag.

Man har nu börjat diskutera vilka faktorer som egentligen har styrt museernas insamling under vårt århundrande och vad som har blivit resultatet. Utställningar och andra aktiviteter kommer att visa vad som kommer fram i de här diskussionerna. Säkert är det just öppenheten och tankeutbytet med omvärlden som kommer att stå för det nya och det som skall bli "något mer" för framtiden.

Katarina Årre
Intendent, Svenska Museiföreningen

SVENSKA INSTITUTET (SI) är en statlig myndighet med uppgift att utomlands sprida kännedom om svenskt samhälls- och kulturliv, att främja kultur- och erfarenhetsutbyte med andra länder och att bidra till internationalisering inom utbildning och forskning samt stödja undervisning i svenska som främmande språk. SI svarar också för verksamheten vid Svenska kulturhuset i Paris, Centre culturel suédois, CCS.

I SWEDEN BOOKSHOP finns SI:s omfattande utgivning av publikationer om svenskt samhällsliv på många främmande språk. I sortimentet ingår även informationsmaterial om Sverige från andra förlag och utgivare, ett brett urval av svensk skönlitteratur och barnböcker i översättning, svensk musik, diabilder, videokassetter och svenska språkkurser.

Besök
SWEDEN BOOKSHOP, Sverigehuset,
Hamngatan/Kungsträdgården, Stockholm

Ring
08-789 20 00

Skriv till
SVENSKA INSTITUTET
Box 7434, SE-103 91 Stockholm

Fax: 08-20 72 48
E-mail: order@si.se
http://www.si.se